Geronimo Stilton

# LE ROYAUME DES ELFES

## LE ROYAUME DE LA FANTAISIE - 5

ALBIN MICHEL JEUNESSE

# La Compagnie des Elfes

Le mot « compagnie » signifie « qui mange le même pain ». Il désigne un groupe de personnes qui s'aident mutuellement, chacune selon ses moyens. C'est là toute la force d'une compagnie !

## Geronimo Stilton

Je suis le directeur de *l'Écho du rongeur*, le journal le plus fameux de l'île des Souris ! Ceci est mon cinquième voyage au ROYAUME DE LA FANTAISIE !

## Roi Robur

C'est le sage et fier roi des Elfes, que Sorcia avait transformé en cerf en lui jetant un sort ! Grâce à Geronimo, il est redevenu un jeune Elfe.

## Laowyn

C'est la sœur du roi Robur. Fière et courageuse, elle est prête à tout pour rétablir la paix et l'harmonie dans son royaume.

## Alys

C'est la princesse des Dragons d'argent. Courageuse, audacieuse, c'est une excellente dompteuse de Dragons !

## Stylou de Trombone

C'est le Recteur Magnifique de la Grande Ampoulerie, où vivent les plus fameux savants du ROYAUME DE LA FANTAISIE.

## Tom Un

C'est un Livre Parlant de la Grande Ampoulerie, premier volume encyclopédique d'une série de douze. Son rêve secret est de devenir un Livre d'aventures.

## Gaïa

C'est la princesse du royaume des Fées et sœur de Floridiana, la reine des Fées. Elle est la Fée de la Terre, dont le doux chant fait éclore les bourgeons.

Toi aussi, tu veux te joindre à la Compagnie des Elfes ?
Colle ta photo et écris ton prénom !

Colle ici
ta photo !
Puis écris
ton prénom
au-dessous.

---------------------------------------------------

# UNE MATINÉE AGITÉE COMME TOUTES LES MATINÉES...

Ce matin-là, j'entrai au journal en courant : je savais déjà que m'attendaient sur mon bureau un tas de contrats à *signer*, une pile d'épreuves à corriger et des montagnes de manuscrits à **parcourir**... Bref, c'était une matinée de travail agitée, comme toutes les matinées, qui s'annonçait.

Vous vous demandez sans doute pourquoi je suis un gars, *ou plutôt un rat,* si occupé. Je vais vous expliquer ! Mon nom est Stilton, *Geronimo Stilton*. Je dirige *l'Écho du rongeur*, le journal le plus célèbre de l'île des Souris. C'est un travail merveilleux, mais très **absorbant**...

Je disais donc que, ce matin-là, j'entrai au journal en *COURANT*, saluai gaiement tout le monde et allai m'enfermer dans mon bureau.

On était vendredi matin et j'avais décidé d'expédier tout mon travail avant la fin de l'après-midi, pour pouvoir jouir d'un paisible week-end de repos et, surtout, parce que, le lendemain, c'était mon anniversaire !

Mais, dès que je fus assis, je remarquai sur mon bureau une **MYSTÉRIEUSE** enveloppe.

Dessus, il était écrit : pour Geronimo Stilton. Secret, personnel, très urgent, confidentiel !

Je l'**EXAMINAI** longuement en me demandant : « J'ouvre ou je n'ouvre pas ? »
J'avais l'impression que, si je l'ouvrais, j'allais m'attirer des ennuis, de gros **ENNUIS** !
Je la tournai et la retournai pendant un bon moment, avant de me décider : peut-être était-ce le **MESSAGE** de quelqu'un qui avait besoin de moi...
J'ouvris donc la **MYSTÉRIEUSE** enveloppe dans laquelle je trouvai un papier tout aussi

MYSTÉRIEUX, portant un message encore plus MYSTÉRIEUX...

TROUVE-TOI DEMAIN À MIDI AU SOMMET DU MONT PEUREUX À L'ENDROIT MARQUÉ SUR LA CARTE QUE TU TROUVERAS AU VERSO.

JE T'ATTENDRAI LÀ-BAS !

JE COMPTE SUR TOI !

PS : J'AVAIS DIT QUE C'ÉTAIT URGENT, GROS NIGAUD ! POURQUOI N'AS-TU PAS OUVERT L'ENVELOPPE TOUT DE SUITE ?

Celui qui avait écrit cette lettre devait bien me connaître : comment pouvait-il savoir que j'hésiterais avant d'ouvrir l'enveloppe ?
En tout cas, c'était une raison de plus pour tirer toute cette affaire au CLAIR...
Je retournai la feuille. Au verso était dessinée une

CARTE du mont Peureux, avec un itinéraire en pointillé et un gros X rouge.
Je reposai le papier et essayai de me mettre au travail, mais je ne parvenais pas à me concentrer : chaque fois que j'ouvrais un contrat ou

un manuscrit, chaque fois que je commençais à répondre à une lettre, mon esprit retournait vers ce MYSTÉRIEUX message...

À un moment donné, il me vint le **SOUPÇON** qu'il s'agissait là d'une nouvelle trouvaille de mon cousin Traquenard : il me tourmente continuellement avec ses plaisanteries et, d'habitude, je tombe dans tous ses pièges comme un **NIGAUD** !

Mais, cette fois, je ne me laisserais pas avoir !

Je décrochai mon téléphone et appelai mon cousin :

– Traquenard, tête de reblochon, avoue ! C'est toi qui as déposé un mystérieux message sur mon bureau ?

Il répondit, tout **innocent** :

– Je suis navré de te décevoir, cousin : ce n'est malheureusement pas moi (ça m'aurait pourtant bien plu de te faire une blague !). Je suis trop occupé à entraîner mes **puces** savantes. As-tu pensé à demander à Farfouin ?

Traquenard avait raison, mon ami Farfouin a lui aussi l'habitude de me faire des **farces**.

Je l'appelai aussitôt :
– **Par mille mimolettes**, Farfouin, c'est toi qui m'as fait la blague du mystérieux message ?
Il parut tomber des nues :
– Par mille bananettes, de quelle *'tite* blague parles-tu, Gerom*inou* ? Je suis sur une enquête en Transourisie ! As-tu pensé à demander à Traquenard ? C'est sûrement lui qui t'a *bananifié** ! Je dois y aller, salut !
Il y avait au moins une chose de CLAIRE : ce n'était ni Traquenard ni Farfouin qui avaient fait le coup.
Mais alors, peut-être n'était-ce pas une farce !
Mais qui avait donc bien pu écrire ce MYS-TÉRIEUX message ?
Je décidai qu'il me fallait en savoir davantage : le lendemain, je me présenterais au mystérieux rendez-vous ! Je sortis du bureau, sans avoir eu le temps de terminer mon travail, et traversai la rédaction au pas de COURSE, tandis que

* *C'est sûrement lui qui t'a fait une blague !*

tous mes collaborateurs essayaient de me retenir.
– Geronimo, il y a ce CONTRAT urgent...
– Geronimo, tu as oublié la réunion !
– Geronimo, as-tu approuvé les DESSINS ?
– Geronimo, tu dois dédicacer ton dernier livre !
– GAMIIIN ! Pourquoi pars-tu si tôt ? Tu devrais être le premier à arriver et le dernier à partir, HONTE SUR TOI !

Je dribblai tout le monde, y compris grand-père Honoré, serrant la mystérieuse enveloppe sous le bras comme un ballon de rugby, et je me précipitai dehors en criant :

Geronimo, les contrats !
Geronimo, un pli pour toi !
Scouit !
Geronimo, je...
Geronimo, la réunion... !
Scouit !
Gamiiin !
Scouit !

# UN TUBE DE CRÈME CONTRE LES CALS...

Je sortis en quatrième vitesse et claquai la porte derrière moi, tout ESSOUFFLÉ. Maintenant, je pouvais me préparer pour le mystérieux rendez-vous. Je commençai par une halte au magasin *Tout pour le rat aventurier* : je voulais acheter une nouvelle paire de chaussettes de randonnée (les vieilles étaient grignotées par les **MITES** et toutes **REPRISÉES**). Lorsqu'il me vit entrer dans la boutique, le propriétaire se frotta les mains d'un air suspect...

– **Monsieur Stilton**, donnez-vous la peine d'entrer, quel plaisir de vous voir ! En quoi puis-je vous être utile ?

J'essayai de lui expliquer que je voulais simplement acheter des chaussettes, mais il entreprit d'étaler devant moi tout ce qu'il avait en **MAGASIN**. Et il ne cessait de me répéter :

– Monsieur Stilton, faites-moi confiance, il vous faut cela, c'est **in-dis-pen-sa-ble**. Quand on part mal équipé, on ne sait jamais si l'on reviendra !
Bref, il me fit acheter un équipement complet pour les **EXCURSIONS**.
Il m'étourdit si bien par son bavardage que je ressortis de la boutique croulant sous des paquets de toutes sortes, mais sans mes précieuses chaussettes ! J'étais tellement chargé que je heurtai quelqu'un qui venait en sens contraire… SBANG !

Tous mes paquets se renversèrent sur le trottoir et ma tête alla cogner par terre. En me relevant, je me trouvai museau à museau avec un rongeur sympathique au **REGARD** intelligent : mon neveu Benjamin ! Je bredouillai, étourdi par le coup :

– Excuse-moi, j'ai paqueté dans les trébuches, je veux dire j'ai trébuché dans les paquets… Tu t'es fait mal ?

– **Non, tonton. Tout est OK !** Mais toi, tu es sûr que ça va bien ? Je vais t'aider…

Puis il commença à tout remettre dans les sacs.

– Une CORDE... une boussole, du sérum antivenimeux, un chapeau d'explorateur... des barres énergétiques *Çadonnelafrite*... un PIOLET en titane... un émetteur-récepteur radio... une boîte de pansements pour les ampoules... un tube format géant de crème contre les cals... De la crème contre les cals ? Pourquoi as-tu besoin de crème contre les cals ? me demanda Benjamin.

Je bafouillai, *embarrassé* :

– Euh, c'est le propriétaire du magasin qui me l'a conseillée : il dit que c'est souverain contre les maux de pieds et je vais devoir marcher beaucoup...

Benjamin s'interrompit alors, me regarda dans les yeux et dit :

– Je ne sais pas où tu comptes aller, mais je suis sûr que tu te lances dans une nouvelle aventure... **Je t'en prie, oncle Geronimo, emmène-moi avec toi !**

Je voulus lui parler de la lettre, du mystérieux rendez-vous au sommet du mont Peureux et je lui dis sans détour que ça pouvait être très **DANGEREUX**, mais Benjamin insista :

– Dangereux ? Raison de plus pour que tu n'y ailles pas seul, tonton ! Tu m'as expliqué si souvent qu'il ne fallait jamais s'aventurer seul en **montagne**...

***Benjamin avait raison !***

Je l'invitai donc à venir chez moi et nous nous mîmes à organiser l'expédition du lendemain, devant un **lait** frappé à la triple mimolette.

Une heure (et trois laits frappés à la mimolette...) plus tard, tout était décidé.

Benjamin et moi nous donnâmes rendez-vous le lendemain matin, à l'**AUBE** : ce serait une très longue marche.

# EN ROUTE POUR LE MYSTÉRIEUX RENDEZ-VOUS...

Le lendemain matin, je me **DIRIGEAI** de bonne heure vers la maison de Benjamin, qui habitait avec tante Toupie, au 2 de la ruelle du Rat. Je portais un énorme **SAC À DOS**, bourré de mon nouvel équipement d'excursion HYPERTECHNOLOGIQUE. Le commerçant m'avait assuré que tous ces objets étaient indispensables et

**JE NE VOULAIS COURIR AUCUN RISQUE...**

Mais quelques pas me suffirent pour comprendre qu'il me serait impossible de porter ce sac à dos jusqu'au sommet du **mont Peureux** : si je ne m'écroulais pas de fatigue, je tomberais dans un ravin, déséquilibré par cet énorme poids...
En arrivant chez Benjamin, je le trouvai qui m'attendait, souriant, avec un petit sac à dos *léger* et **compact.**
Il regarda, perplexe, mon sac à dos format maxi.
– Tu y es allé fort avec le bagage, tonton... Tu vas réussir à porter tout ça jusqu'au sommet ?
Comme je ne voulais pas passer pour une CANCOILLOTTE, je m'efforçai de sourire et de paraître sûr de moi :
– Pas de problème, Benjamin, ne t'inquiète pas !
Nous nous dirigeâmes vers la gare et prîmes le premier TRAIN en direction du mont Peureux.
Deux heures plus tard, nous commençâmes à gravir le sentier escarpé qui mène au sommet de la montagne, mais, au bout de quelques mètres, je compris pourquoi on l'avait surnommée le « mont Peureux ».
C'est que ses pentes étaient raides à faire *peur*,

que l'on côtoyait des ravins *effrayants*, que l'on entendait de temps à autre des BRUITS, des cris et des hurlements *terrifiants* (et si c'étaient des loups ?) et que des ROCHERS qui se détachaient de la montagne passaient près de nous en roulant *effroyablement* !

Pendant l'ascension, j'avais tellement la frousse et le méga-sac à dos était si lourd que mes genoux tremblaient, mais je continuai fièrement à marcher pour ne pas perdre la face devant Benjamin.

**Heureusement**, au bout d'une demi-heure, il me tira par la manche.

– On fait une pause ? Je suis un peu fatigué, oncle Geronimo...

Il me vint le soupçon qu'il n'était pas du tout fatigué, mais qu'il voulait me permettre de me reposer ! Quoi qu'il en soit, je déposai le sac à dos et sortis la boîte de barres énergétiques *Çadonnelafrite.*

Miam...
Gloub...

Benjamin en grignota un petit morceau, tandis que j'engloutissais une barre entière, puis, dans l'espoir de retrouver des **FORCES**, une autre et, enfin, pour être vraiment sûr que ça ferait de l'effet, une troisième...

Benjamin essaya de m'arrêter :

– Attention, tonton, une barre suffit pour une semaine...

Mais je les avais déjà avalées !

Quelques minutes plus tard, je commençai à avoir la bouche **pâteuse** et à me sentir un grand poids sur l'estomac.

J'ouvris mon sac pour y chercher ma gourde, mais je m'aperçus que je ne l'avais pas emportée. Et Benjamin avait oublié de remplir la sienne d'*eau* !

Je m'écartai donc du sentier pour atteindre un ruisseau que j'entendais couler non loin de là, mais mon pied s'enfonça dans une **CREVASSE** dissimulée et je me mis à tomber... tomber... tomber... tomber... tomber... tomber...

TOMBERRRRRRRRRRRRRRRRRRRRRRRRRRRRRRRRRRRRRRRRRRRRRRRRRRRRRRRRRRRRRRRRRRRRRRRRRRR

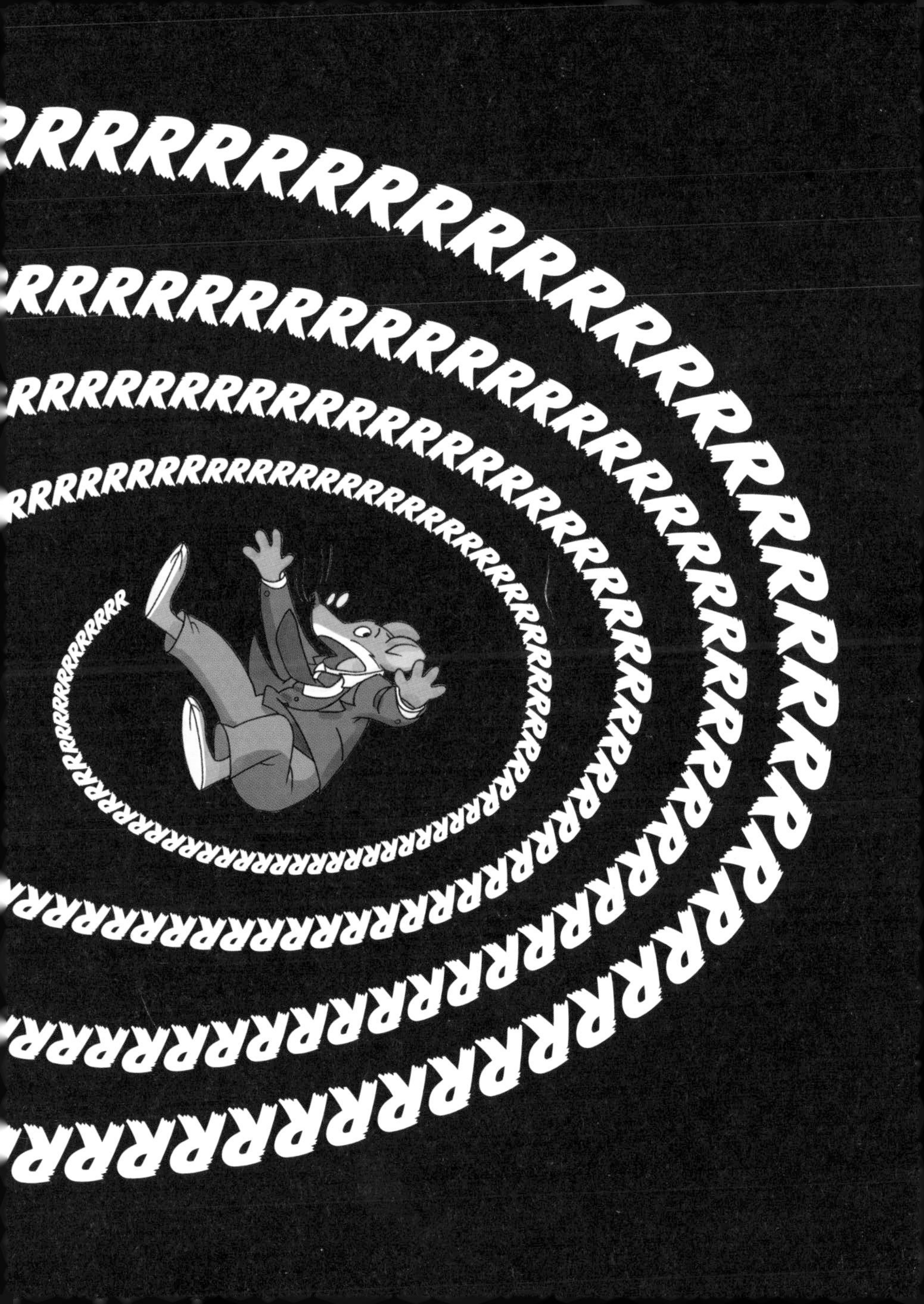
RRRRRRRRRRRRRRRRRRRRRRRR

J'atterris enfin dans une grotte mystérieuse et m'évanouis.

J'ignore combien de temps je restai sans connaissance, mais il me sembla que je fus longtemps suspendu entre le sommeil et la veille.

Puis, lentement, j'ouvris les yeux et me retrouvai plongé dans un milieu éclairé par une étrange et mystérieuse LUMIÈRE verte.

Étais-je encore en train de rêver ?

Le royaume
des Elfes

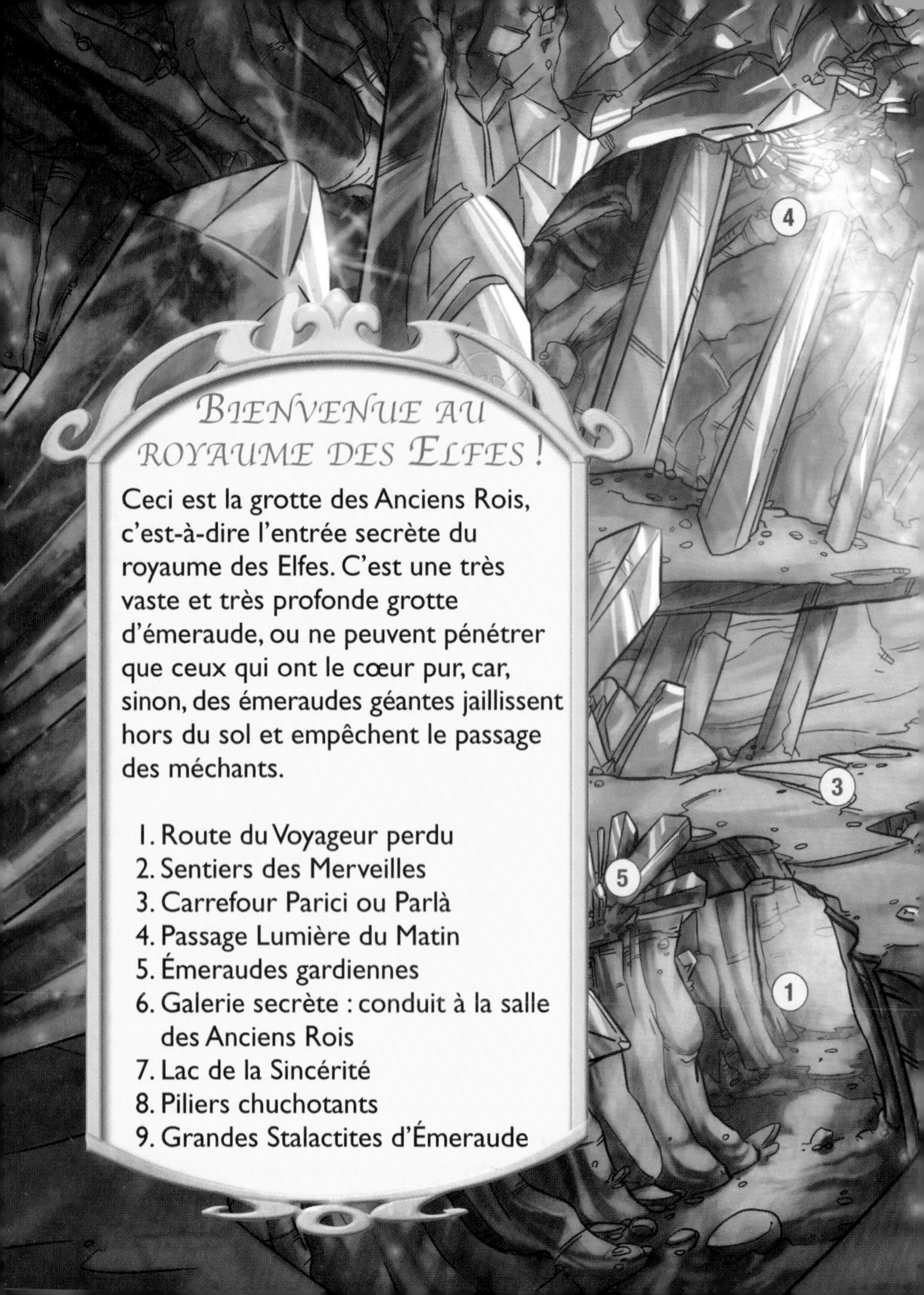
BIENVENUE AU ROYAUME DES ELFES !
Ceci est la grotte des Anciens Rois, c'est-à-dire l'entrée secrète du royaume des Elfes. C'est une très vaste et très profonde grotte d'émeraude, ou ne peuvent pénétrer que ceux qui ont le cœur pur, car, sinon, des émeraudes géantes jaillissent hors du sol et empêchent le passage des méchants.
1. Route du Voyageur perdu
2. Sentiers des Merveilles
3. Carrefour Parici ou Parlà
4. Passage Lumière du Matin
5. Émeraudes gardiennes
6. Galerie secrète : conduit à la salle des Anciens Rois
7. Lac de la Sincérité
8. Piliers chuchotants
9. Grandes Stalactites d'Émeraude
4
3
5
1

9
8
6
5
5
5
7
5
2

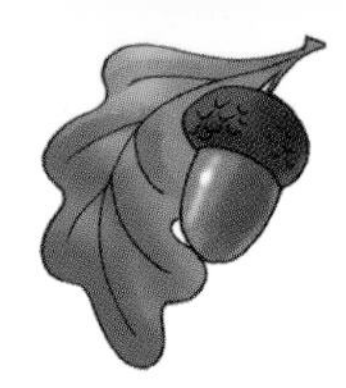

# Bienvenue au royaume des Elfes, Chevalier !

Je me frottai les yeux, les fermai et les **ROUVRIS** plusieurs fois, puis me pinçai le nez : la lumière verte était toujours là. Je m'assis et c'est alors seulement que je me rendis compte que j'étais à l'intérieur d'une merveilleuse grotte aux parois d'émeraude, et que je n'étais pas seul !

Devant moi se tenait une gracieuse jeune fille vêtue de vert, avec de longs **cheveux** couleur émeraude et un regard doux mais décidé. Elle arborait une petite couronne d'or avec le symbole des feuilles de chêne, l'emblème des Elfes de la forêt.

Derrière elle, étaient trois jeunes Elfes, à l'air fort et fier, qui étaient vêtus d'une sorte d'uniforme et portaient de grands arcs en bandoulière.

La voix **harmonieuse** de la jeune fille résonna dans la grotte :

– Bienvenue au royaume des Elfes, Chevalier !

– O-où avez-vous d-dit que j-je me t-trouve, mademoiselle ? Et d'ailleurs, excusez-moi, sauriez-vous par hasard ce que je fais ici ?

– Chevalier, vous êtes au royaume de la Fantaisie ! Pour être plus précise, vous vous trouvez dans la grotte des Anciens Rois, entrée secrète du royaume des Elfes. Je suis la princesse Laowyn. C'est mon frère, votre ami Robur, qui m'envoie...

– Robur ? Il ne m'avait jamais dit qu'il avait une sœur...

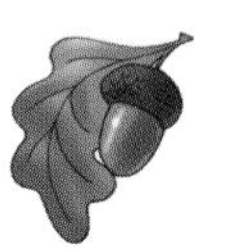

– Cela ne me surprend pas. Nous autres, les Elfes, nous sommes très réservés. Mais, dites-moi, comment êtes-vous arrivé ici, Chevalier ? Je pensais que, comme les autres fois, vous arriveriez sur le dos du Dragon de l'Arc-en-ciel...
Elle s'interrompit un instant, perplexe, avant de poursuivre :
– Mais peu importe, l'important est que vous soyez là ! Les moyens d'arriver au royaume de la Fantaisie sont nombreux, mais seuls ceux qui savent rêver et qui ont le COEUR pur peuvent y entrer !
Laowyn se tut, cependant qu'une expression inquiète apparaissait sur son visage.
Je lui demandai doucement :
– Qu'est-ce qui vous préoccupe, princesse Laowyn ?
Elle soupira.
– La situation est GRAVE ! Il se passe des choses terribles dans notre pays et dans tout le royaume de la Fantaisie. Mais il est temps de se mettre en marche, mon frère Robur vous expliquera tout.
Je me levai avec difficulté et m'aperçus que tous,

# Laowyn et Robur

La princesse **Laowyn** est la sœur de Robur, le roi des Elfes. Fière et courageuse, elle est prête à tout pour rétablir la paix et l'harmonie dans son royaume. Laowyn a deux grandes amies : Alys, la princesse des Dragons d'argent, et Gaïa, la sœur de Floridiana, reine des Fées.

**Robur** est le sage et fier roi des Elfes. En lui jetant un sort, Sorcia l'avait transformé en un cerf au pelage blanc, avec des bois et des sabots d'or. Dans son quatrième voyage au royaume de la Fantaisie, Geronimo brisa le sort et, grâce à son aide, Robur redevint un jeune Elfe.

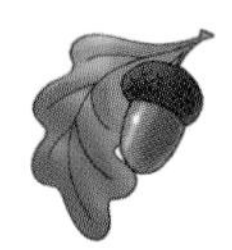

mais vraiment tous mes OSSELETS me faisaient mal. J'avais bel et bien fait une mauvaise chute !
Laowyn me regarda de la tête aux pieds, puis dit :
– Chevalier, vous ne pouvez pas venir avec nous ainsi vêtu ! D'innombrables DANGERS nous attendent au-dehors : il vaudrait mieux que vous portiez quelque chose de plus adapté...
Elle fit un signe et l'un des Elfes m'apporta... mon ARMURE !

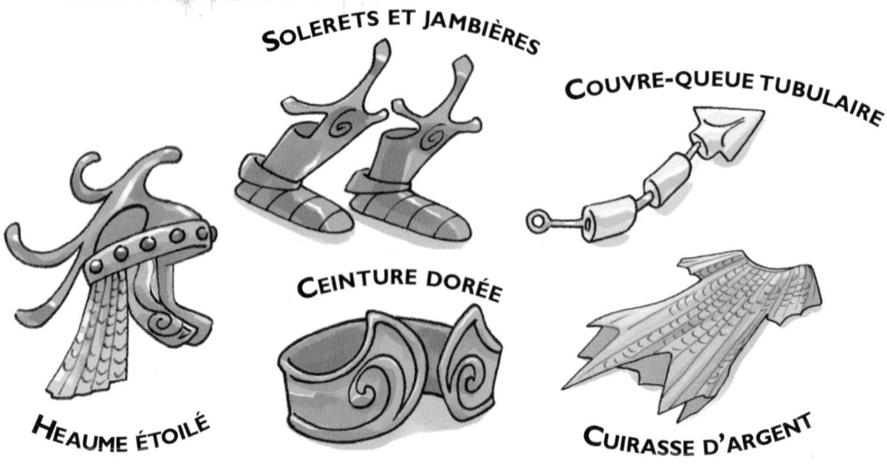


Je m'équipai, ému, en pensant à tous les dangers dont elle m'avait protégé au cours de mes précédents voyages au royaume de la Fantaisie.

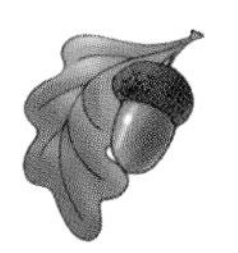

Quand je fus prêt, nous nous mîmes en route à l'intérieur de la grotte des Anciens Rois. Je désignai de petites émeraudes qui sortaient du sol tout autour de nous, au long du sentier.

Laowyn sourit.

– Ce sont les Émeraudes gardiennes : elles ne laissent passer que ceux qui ont le cœur pur, Chevalier. Quant aux méchants, elles leur barrent la route, en devenant aussi **hautes** que des tours !

Et moi qui pensais que ce n'étaient que de jolies pierres !

À partir de ce moment, je les regardais avec timidité...

Je suivis Laowyn au long d'une galerie creusée dans l'émeraude, au travers de salles ornées de colonnes et dans de raides escaliers aux marches lisses et glissantes comme du VERRE. Puis j'entrai dans une salle circulaire, sur le pourtour de laquelle se dressaient huit statues portant sur la tête une couronne d'or. Laowyn annonça d'un ton solennel :

– Ce sont les statues des Anciens Rois et des Anciennes Reines qui ont gouverné notre pays depuis le début des temps jusqu'à nos jours...

Nous atteignîmes enfin une porte de PIERRE. Je l'ouvris et, pendant un instant, fus ébloui par la lumière. Quand je parvins enfin à rouvrir les yeux, je découvris le mythique royaume des Elfes et...

... j'en eus le souffle coupé d'émerveillement !

# La porte secrète du royaume des Elfes

La lourde porte de pierre se referma d'un coup derrière moi, dans un grand FRACAS. Je sursautai et m'écriai :

– Scouit !

Laowyn expliqua d'un ton sévère :

– Cette porte est l'une des entrées secrètes du royaume des Elfes. Vous ne devez révéler son existence à personne.

Un écho lointain répéta ses derniers mots :

À PERSONNE...

À PERSONNE...

À PERSONNE...

À PERSONNE...

À PERSONNE...

À PERSONNE...

Je la rassurai, en plaçant une main sur mon cœur et en promettant :

– Je ne dévoilerai ce secret à personne, à moins que vous ne m'en donniez la permission, je le promets sur mon HONNEUR de Chevalier !

Je regardai autour de moi et restai bouche bée : d'où nous étions, on découvrait tout le royaume des Elfes, et Laowyn me cita le nom de chacune des **montagnes**, de chacune des RIVIÈRES et de chacun des lacs que nous voyions...

ROYAUME DES ELFES
1
2
3
4
5
6
7
8
N
W
E

9
10
11
12
13
14
15
16
17
1. Pic de l'Elfe solitaire
2. Rocheblanche, cité des Elfes
3. Fleuve scintillant
4. Fontaine éternelle
5. Castelcerf
6. Vallée du Vent
7. Puits des Pensées heureuses
8. Tour Fleurie
9. Mont Sage
10. Pont de la Confiance
11. Cime des Nuages éternels
12. Cascade Doux Chant
13. Lac de la Sérénité
14. Plaine Toujours Verte
15. Passage secret des Elfes
16. Bois des Racines d'argent
17. Sentier des Mille Années

Cela ne faisait aucun doute, Laowyn aimait beaucoup son royaume.

Nous restâmes là, comme enchantés, à admirer longuement ce spectacle unique...

Mais l'un des Elfes interrompit brusquement notre rêverie :

– Laowyn, il faut hâter le pas, la route est encore longue et, ces derniers temps, il y a eu beaucoup de secousses de tremblem...

Il n'eut même pas le temps de finir son mot qu'un terrible tremblement de terre secoua le sol sous nos pieds !

– AU SECOUUUURS !!!

LE TREMBLEMENT DE TERRE !!

Je hurlai, en proie à la panique. D'énormes rochers se détachaient de la **montagne** et la terre tremblait très fort, au point que nous ne pouvions plus tenir debout. Soudain, sous nos pieds s'ouvrit une crevasse très profonde qui m'engloutit.

Je restai suspendu par la queue à un éperon rocheux qui faisait saillie au flanc du gouffre.

Quelle frousse féliiiiiiiiine !

Quand la terre cessa de trembler, mes compagnons parvinrent à me ramener en lieu sûr.

Ce furent les moments les plus effrayants et les plus terrifiants de ma vie, parole de rongeur !
J'étais devenu plus pâle qu'un CAMEMBERT par une nuit de pleine lune !
Dès que je fus remis de mes émotions, nous dévalâmes un sentier très raide qui conduisait dans la vallée, pour atteindre Castelcerf, où nous attendait Robur.
Le puissant TREMBLEMENT DE TERRE avait eu des effets dévastateurs dans le royaume des Elfes et j'observai avec tristesse le paysage bouleversé. Autour de nous régnait la désolation la plus absolue : dans tout le royaume de la Fantaisie étaient apparues d'effroyables crevasses, semblables à celle qui avait failli m'engloutir. Partout on

Quelle désolation...
Je suis navré, Laowyn...

apercevait des ARBRES renversés, des buissons déracinés et des éboulements...
Les torrents avaient inondé les forêts et les champs, tandis que les LACS limpides, qui, peu avant, brillaient au soleil, n'étaient plus que des mares boueuses !
Mais le plus TRISTE, c'était la forêt elfique, le cœur antique du royaume des Elfes, qui était menacée par les crevasses obscures qui s'ouvraient tout autour... Quelle désolation !
Laowyn se mit à pleurer devant ce spectacle TERRIBLE.
– Chevalier, il y a déjà eu d'autres secousses avant votre arrivée et c'est pour cela que nous vous avons appelé, mais jamais les tremblements de terre n'avaient été aussi destructeurs...
J'essayai de la consoler mais, je l'avoue, j'avais moi aussi envie de **PLEURER**.

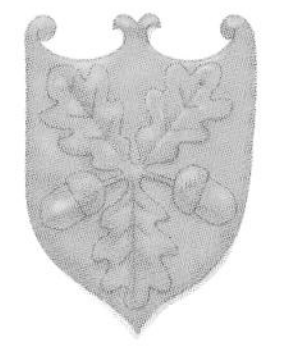

# SAUVONS LA FORÊT ELFIQUE !

Nous arrivâmes enfin à Castelcerf et Laowyn me conduisit aussitôt dans la salle des audiences. Les murs étaient richement ornés de tableaux représentant les histoires des Elfes. Je remarquai, stupéfait, que l'un d'eux racontait la façon dont Robur et moi nous étions mutuellement sauvé la vie au cours de mon quatrième voyage au *royaume de la Fantaisie*...

Sous le tableau étaient inscrits ces trois mots, si simples et si grands :

AMIS POUR TOUJOURS

C'est alors qu'une voix que je connaissais bien s'exclama d'un ton solennel :

– Il en est ainsi, nous serons amis pour toujours ! Et c'est pourquoi j'attendais ton arrivée avec anxiété, pour demander ton aide.

C'était mon ami Robur !

Je me retournai et lui serrai chaleureusement la main. Puis je le regardai dans les yeux.

– Dis-moi en quoi je puis t'aider, mon ami !
**Robur** m'invita à sortir avec lui pour monter sur le chemin de ronde, qui faisait le tour des murailles.
Durant le trajet, j'examinai attentivement le château : il était **IMPOSANT** et **MASSIF**, mais également accueillant et hospitalier.

Des créneaux de Castelcerf, on distinguait des milliers d'Elfes qui s'activaient déjà à reconstruire après la dernière et terrible **secousse**.

9
7
Robur
Geronimo Stilton
1
5
4
6
3
2
8

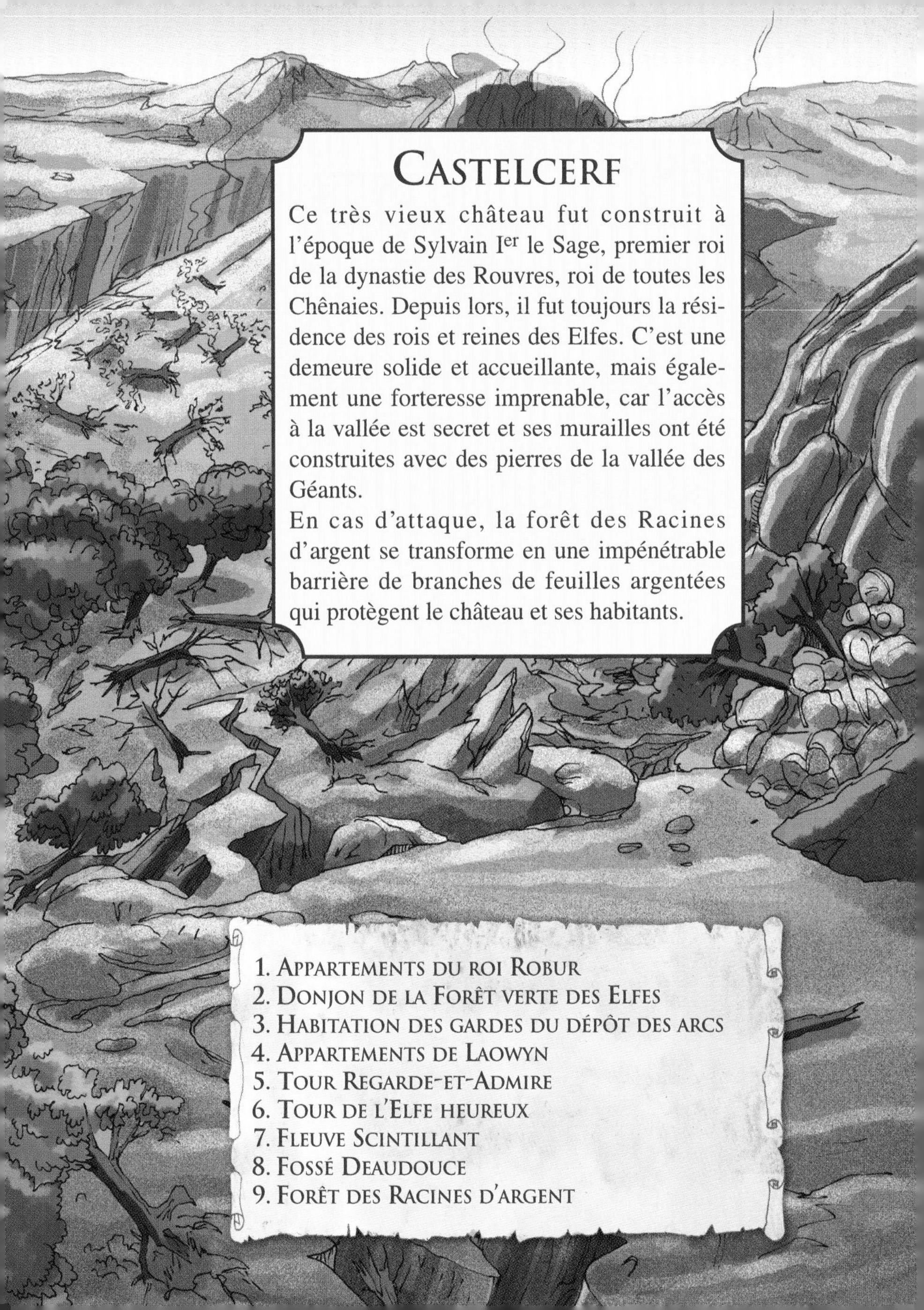

# Castelcerf

Ce très vieux château fut construit à l'époque de Sylvain Ier le Sage, premier roi de la dynastie des Rouvres, roi de toutes les Chênaies. Depuis lors, il fut toujours la résidence des rois et reines des Elfes. C'est une demeure solide et accueillante, mais également une forteresse imprenable, car l'accès à la vallée est secret et ses murailles ont été construites avec des pierres de la vallée des Géants.

En cas d'attaque, la forêt des Racines d'argent se transforme en une impénétrable barrière de branches de feuilles argentées qui protègent le château et ses habitants.

1. Appartements du roi Robur
2. Donjon de la Forêt verte des Elfes
3. Habitation des gardes du dépôt des arcs
4. Appartements de Laowyn
5. Tour Regarde-et-Admire
6. Tour de l'Elfe heureux
7. Fleuve Scintillant
8. Fossé Deaudouce
9. Forêt des Racines d'argent

Je m'exclamai :

– Quel peuple fort et courageux !

Robur murmura :

– C'est vrai, mais, hélas, le dernier tremblement de terre a provoqué de trop grands **DÉGÂTS** ! Voilà une semaine que la terre tremble : cela ne s'était jamais produit auparavant ! Mon ami, toi seul peux m'**AIDER** à découvrir pourquoi tout cela nous arrive !

Je répondis sans hésiter :

– Je ferai tout mon possible, Robur, tu peux compter sur moi ! Mais je ne sais pas si je serai capable…

Robur posa une main sur mon épaule et sourit.

– Je n'en doute pas, Chevalier ! Tu t'y connais en livres, tu es un rongeur cultivé. Toi seul peux résoudre mon problème.

Je demandai, intrigué :

– Excuse-moi, Robur, mais quel est le rapport avec les livres ?

– Tu vas voir, tu vas voir…

# QUEL RAPPORT AVEC LES LIVRES ?

Nous gardâmes un moment le silence, réfléchissant à ce que nous avions vu, puis nous retournâmes dans la salle des audiences, où nous attendait Laowyn.

C'est alors que, curieux, j'insistai :

– Robur, pas de mystère entre nous ! Quel est le rapport entre les livres et ma mission ?

– D'accord. Je voudrais te demander d'aller à ma place à la Grande Ampoulerie, où vivent les plus célèbres savants du royaume de la Fantaisie : vulcanologues, géologues, spéléologues, mais aussi sorciérologues, gnomologues, ogrologues, trollologues, jesaistoutologues, etceteratologues, experts expertologues superspécialisés dans des disciplines si spéciales qu'eux-mêmes ne se les rappellent plus… Une fois là-bas, tu les interrogeras sur la cause des tremblements de terre. Eux seuls

peuvent nous expliquer ce qui se passe, mais je n'ai pas beaucoup de sympathie pour ces grosses têtes, elles me donnent la MIGRAINE !

Laowyn éclata de rire en couvrant sa bouche de sa main, d'un air rusé, puis dit :

– Allez, grand frère, avoue : tu n'as jamais eu beaucoup de sympathie pour les livres, pour l'école et pour les professeurs, et en particulier pour un certain professeur. N'est-ce pas ?

Il la regarda, maussade, et dit :

– Comment oses-tu ?

Puis il soupira :

– C'est vrai, ma sœur a raison : j'ai toujours préféré m'entraîner à manier mon épée et mon arc plutôt qu'étudier. Et mon précepteur n'était pas seulement très **ENNUYEUX** : il me donnait en permanence des punitions et des châtiments…
– Et il faisait bien ! ricana Laowyn. Tu étais très turbulent : tu passais ton temps à le taquiner et à lui faire des FARCES. Pauvre professeur Stylou !
Robur **TOUSSOTA**, gêné.
– Euh… c'est vrai, je le reconnais, j'étais un petit diable.

Laowyn poursuivit :
– Chevalier, essayez de deviner : qui peut bien être le Recteur de la Grande Ampoulerie ? Je vais vous le dire : c'est **Stylou de Trombone**, le vieux professeur de Robur !
Robur m'expliqua :
– J'aimerais aller le voir, lui demander pardon et lui dire que j'étais jeune, **inexpérimenté**, et que j'ai changé ! Mais je ne voudrais pas que, toujours fâché contre moi, il refuse de nous aider.
Je répondis en **souriant** :
– J'ai compris. Ce que tu me demandes, c'est d'accomplir une espèce de mission diplomatique !
– D'une certaine manière, oui. Mais il faut aussi du **COURAGE** : par les temps qui courent, il ne sera pas facile d'arriver à la Grande Ampoulerie.
Laowyn ajouta :
– Robur, puis-je accompagner le Chevalier ? De cette manière, je pourrais ensuite aller voir Alys, la princesse des Dragons d'argent. Je sais que mon amie Gaïa est chez elle depuis une semaine déjà !

# Trois amies inséparables !

Au royaume de la Fantaisie vivent trois princesses liées par une merveilleuse amitié : ce sont Alys, Laowyn et Gaïa !

**Alys** est la princesse des Dragons d'argent. C'est une habile dompteuse de Dragons, qu'elle entraîne en utilisant sa flûte d'argent. Sa Dragonnette personnelle s'appelle Étincelle. C'est une fine lame et une archère à la visée infaillible.

**Laowyn** est la princesse des Elfes (sœur de Robur, le roi des Elfes). Toujours gaie et souriante, elle sait trouver le mot juste pour réconforter ses amies. Elle est courageuse et fière, et elle adore les merveilleuses forêts de son pays.

**Gaïa** est la princesse du royaume des Fées (sœur de Floridiana, la reine des Fées). Elle est la Fée de la Terre et sait faire éclore les bourgeons par ses douces chansons. Sa sœur Floridiana lui a donné un médaillon enchanté, capable de réaliser sept souhaits.

Voilà bien longtemps que je n'ai pas vu mes **amies** et il me tarde de passer un moment avec elles !

Robur accepta, mais prévint :

– Mon ami, dans le passé, nombreux sont ceux qui sont allés à la *Grande Ampoulerie* pour présenter des requêtes, mais ils ne sont jamais revenus. Là-bas, on trouve toutes les réponses, mais il n'est pas facile de les obtenir : en effet, on dit qu'il faut attendre très longtemps avant de recevoir une réponse, des jours, des semaines, des mois, des années... Nous, il nous faut une réponse **IMMÉDIATE** !

Robur tapa dans ses mains et un Elfe en uniforme apporta une **CARTE** du royaume de la Fantaisie, entourée d'un ruban de soie verte et cachetée avec le symbole du royaume des Elfes : deux feuilles de chêne et un gland.

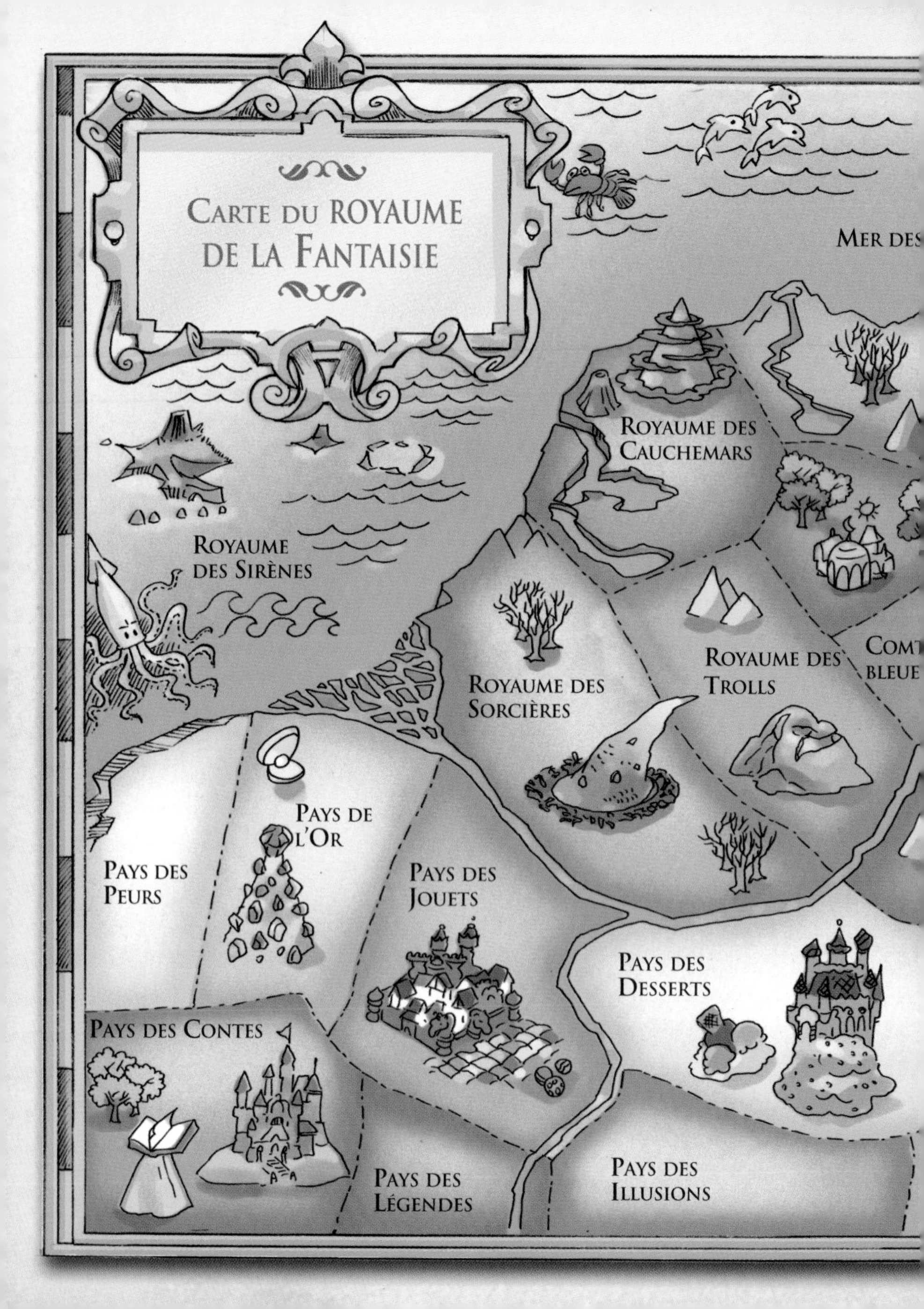
CARTE DU ROYAUME
DE LA FANTAISIE
MER DES
ROYAUME DES
CAUCHEMARS
ROYAUME
DES SIRÈNES
ROYAUME DES
SORCIÈRES
ROYAUME DES
TROLLS
PAYS DE
L'OR
PAYS DES
PEURS
PAYS DES
JOUETS
PAYS DES
DESSERTS
PAYS DES CONTES
PAYS DES
LÉGENDES
PAYS DES
ILLUSIONS

Vers le Grand Royaume
Royaume des Lutins
UME DES
GONS DE FEU
Forêt qui Parle
Royaume des Fées
Royaume des Gnomes
Royaume des Elfes
CORNES
Volcan de Feu
Royaume des Géants du Nord
Grande Ampoulerie
UME DES
ICOLES
Royaume des Dragons d'argent
Pays des Ogres
Royaume des Géants du Sud
YS DES
NTÔMES
Mille terrestre
Mille marin
Mille fantaisique
0 1 2 3 4 5
N
O
E
S

Robur me la tendit.

– Grâce à cette carte, vous ne pourrez pas vous **perdre**. Retrouvons-nous tous dans cinq jours devant la Grande Ampoulerie. Chevalier, je compte sur toi, tu es seul à pouvoir rapporter la réponse que j'attends : l'explication de ces terribles tremblements de terre.

J'allai me préparer pour cette expédition et, le lendemain à l'aube, nous PARTÎMES pour la Grande Ampoulerie.

La Grande
Ampoulerie

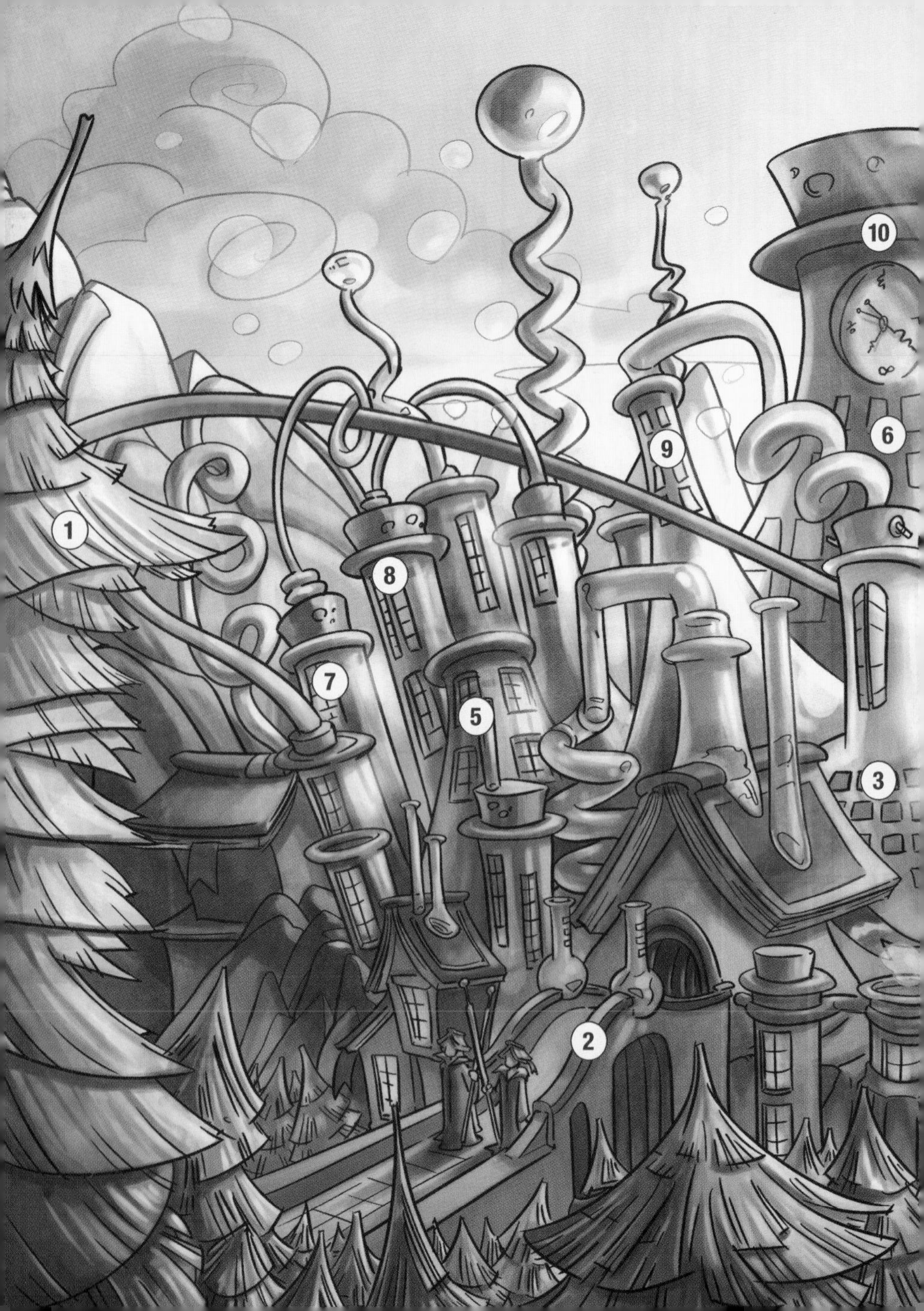
10
6
9
1
8
7
5
3
2

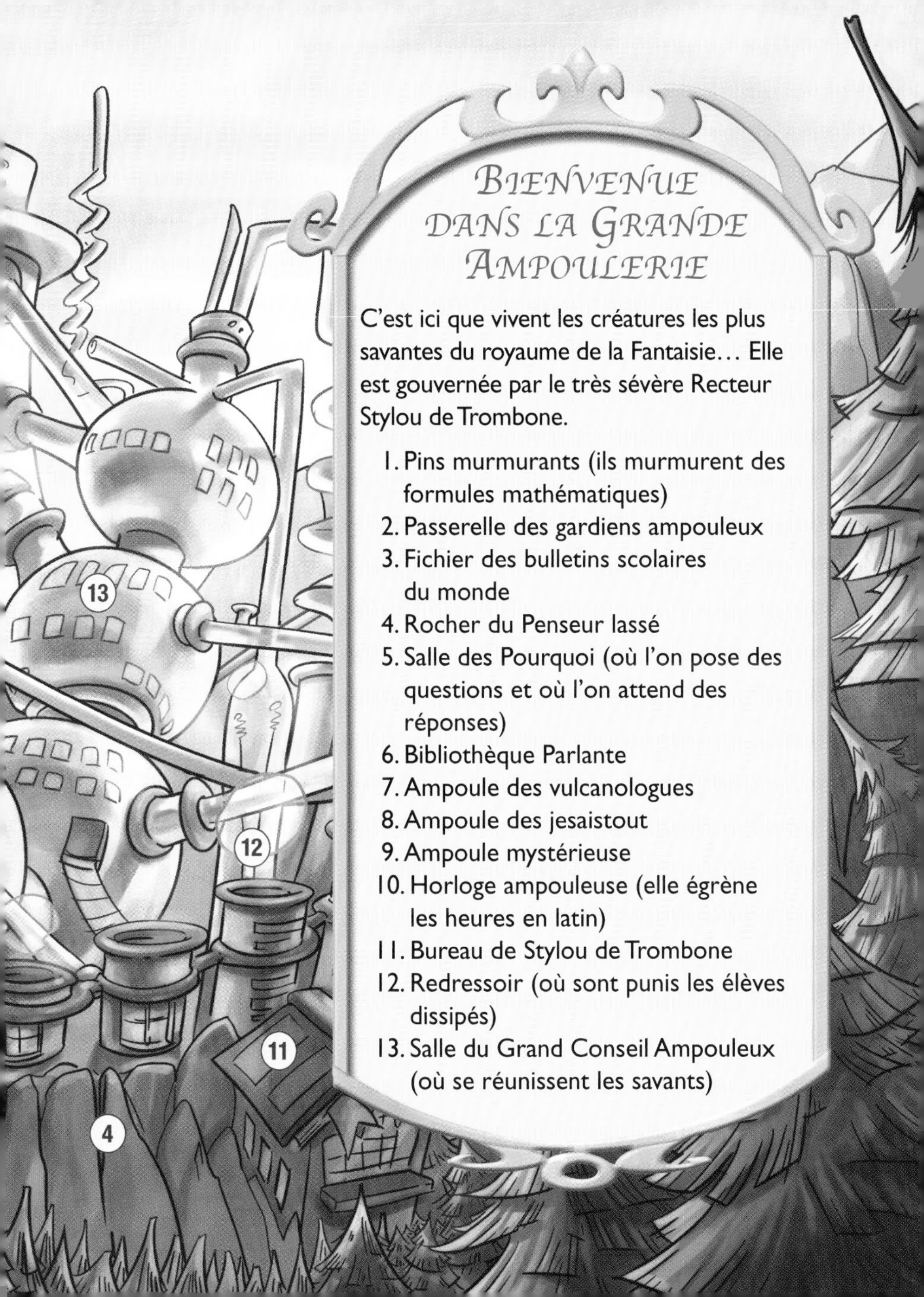
Bienvenue dans la Grande Ampoulerie
C'est ici que vivent les créatures les plus savantes du royaume de la Fantaisie… Elle est gouvernée par le très sévère Recteur Stylou de Trombone.
1. Pins murmurants (ils murmurent des formules mathématiques)
2. Passerelle des gardiens ampouleux
3. Fichier des bulletins scolaires du monde
4. Rocher du Penseur lassé
5. Salle des Pourquoi (où l'on pose des questions et où l'on attend des réponses)
6. Bibliothèque Parlante
7. Ampoule des vulcanologues
8. Ampoule des jesaistout
9. Ampoule mystérieuse
10. Horloge ampouleuse (elle égrène les heures en latin)
11. Bureau de Stylou de Trombone
12. Redressoir (où sont punis les élèves dissipés)
13. Salle du Grand Conseil Ampouleux (où se réunissent les savants)
13
12
11
4

# QUE SE PASSE-T-IL SI JE DIS « ROBUR » ?

Le voyage vers la Grande Ampoulerie fut difficile et dangereux, trèèès **DANGEREUX** !

Nous fûmes brusqués par les tremblements de terre, menacés par les éboulements et les avalanches, persécutés par les crevasses qui s'ouvraient en travers de notre chemin. *CE FUT UN VOYAGE DE CAUCHEMAR !*

Quand nous arrivâmes enfin devant la Grande Ampoulerie, j'étais épuisé ! Je m'arrêtai pour me reposer sous un arbre et observai attentivement cet étrange groupe de constructions.

On aurait dit d'énormes alambics de verre, comme ceux qui servent aux expériences scientifiques. Ils étaient reliés entre eux par des serpentins de verre et par de drôles d'ASCENSEURS, semblables à des pistons de seringues.

Tandis que je réfléchissais à ce qui pouvait bien

nous attendre dans cette drôle de ville, Laowyn s'approcha pour prendre congé :

– Chevalier, je poursuis mon chemin vers le *royaume des Dragons d'argent* : je suis pressée de retrouver mes amies Gaïa et Alys.

Je la remerciai pour son aide :

– Merci de m'avoir accompagné ! Nous nous retrouverons ici avec Robur, après-demain à l'aube.

Dès qu'elle se fut **ÉLOIGNÉE**, je m'approchai de l'entrée, que surveillaient deux étranges gardiens. Ils portaient une longue toge* noire et, sur la tête, un chapeau en forme de livre renversé. Tous deux

* Vêtement de cérémonie porté dans les universités.

marmonnaient, **soupçonneux**, en me dévisageant à travers leurs lunettes d'argent.

Je me présentai au gardien, hésitant :

– Je suis Geron... c'est-à-dire... euh... Je suis le Chevalier. Je dois parler au Recteur. Je suis envoyé par Robur.

Mais j'avais à peine nommé Robur que l'un d'eux s'écria :

– *Quoiii ? Qu'avez-vous dit ?*

Chhht !

J'élevai la voix, pensant qu'ils ne m'avaient pas bien entendu, et je hurlai :

– **JE SUIS ENVOYÉ PAR ROBUUUUR !**

Mais ils me firent taire tout de suite :

– Chut ! Ne prononcez jamais ce nom ici !

– Mais Robur a dit...

– *Ne dites pas ce mot !*

– Quel mot ? Robur ?

– *Parlez plus bas, par pitié...*

– Pourquoi, que se passe-t-il si je dis Robur ?

– Nous ne pouvons pas vous le dire, c'est un secret. Mais ne le nommez jamais plus, compris ?

Tout cela me semblait **BIZARRE**, mais je n'avais pas le temps d'approfondir la question, et je poursuivis :
– Je disais donc que je dois poser une question urgente au Recteur de la part de R… euh, de la personne que j'ai nommée tout à l'heure !
Le premier gardien dit :
– Eh bien, c'est très **SIMPLE**… Vous devez déposer votre requête au guichet **132**, retirer le formulaire au guichet **321**, le remettre au guichet **231**, attention, pas au **213** ! Puis il faut repasser par le

guichet **132** où l'on vous remettra la réponse. Vous avez compris, n'est-ce pas ???

Saperlipopette, je n'avais rien compris du tout ! Le gardien ouvrit une porte et me désigna une pièce où une interminable file de personnes faisaient la queue devant des guichets. On aurait dit qu'ils attendaient depuis des siècles...

Inquiet, je demandai :

– Combien de temps faut-il pour avoir une réponse ?

Le gardien me fixa par-dessus ses lunettes.

– **Mmm ?!** Ça dépend de la question... Ça peut prendre de un mois à un an à un siècle... **Mmm ?!**

Je hurlai, exaspéré :
– Scouiiit ! Je ne peux pas attendre, j'ai besoin d'une réponse immédiate, la forêt des Elfes est en danger !
Le garde marmonna alors :
– **Mmm ?!** Pour les cas urgents comme le vôtre *(peut-être)*, on pourrait *(éventuellement)* faire une exception et *(pourquoi pas)* pour raccourcir les délais… vous pourriez poser votre question directement au Recteur au cours du prochain Grand Conseil !

– Parfait, allons-y **TOUT DE SUITE**, qu'attendons-nous ?!

– Du calme, Chevalier, je dois d'abord vérifier si vous pouvez être admis dans la salle du Grand Conseil Ampouleux : seules les grosses têtes peuvent y pénétrer car l'entrée est strictement interdite aux ânes !

Il m'introduisit dans une salle dont les murs étaient tapissés de tiroirs qui, aussi incroyable que cela paraisse, contenaient tous les bulletins de tous les écoliers du monde ! Il ouvrit un dossier sur lequel était écrit : « Chevalier sans Peur et sans Reproche » et il commença à consulter mes notes.

Lorsqu'il s'aperçut que, à l'école, j'étais vraiment très bon (en toute modestie), il acquiesça d'un air satisfait, mit un coup de TAMPON sur un parchemin et me le remit solennellement.

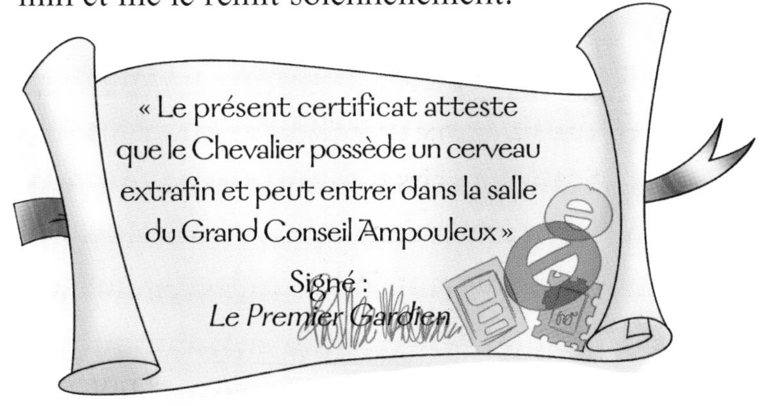

« Le présent certificat atteste que le Chevalier possède un cerveau extrafin et peut entrer dans la salle du Grand Conseil Ampouleux »

Signé :
*Le Premier Gardien*

Puis il m'encouragea :

– Dépêchez-vous, le prochain Conseil Ampouleux commence dans exactement... une minute et douze secondes ! **LES RETARDATAIRES NE SONT PAS ADMIS !**

Je courus comme un dératé jusqu'à une porte qui était en train de se refermer et pénétrai dans une gigantesque salle...

Qui c'est ?
Bof…
Ouh, ouh, ouh…
Euh, je peux entrer ?

Savoir qui c'est ?
Bla bla bla...

# Bla bla bla…

C'était une grande salle CIRCULAIRE, entourée de hauts gradins où étaient assis de nombreux **SAGES**, savants et *scientifiques* venus de tout le royaume de la Fantaisie : mathématiciens, vulcanologues, géologues, sorciérologues, ogrologues, trollologues, jesaistoutologues, etceteratologues et experts expertologues superspécialisés. Exactement comme l'avait prévu Robur !

Parmi eux, je reconnus même le célèbre Grillon Parlant de Pinocchio !

Un hibou portant lunettes s'approcha de moi et m'observa, perplexe, en disant :

– *Ouh, ouh, qui es-tu ? Ouh, ouh, que veux-tu ?*

À ces mots, tout le monde se tourna vers moi. Je balbutiai, hésitant :

– Euh, j'ai une question urgente pour le Mangifique Tracteur Filou de Compote… c'est-à-

dire, enfin, excusez-moi, je me suis explificoté dans mes emberlications... je veux dire, je me suis emberlificoté dans mes explications...
Zut, je venais de me ridiculiser !
J'essayai de me calmer, je respirai à fond puis criai d'un seul TRAIT :
– *JesuisvenuposerunequestionauMagnifiqueRecteur delaGrandeAmpoulerie,leprofesseurStyloude Trombone !*
**OUF**, j'avais réussi...

Un petit homme pâle et frêle, qui semblait disparaître dans les plis de sa **TOGE** noire, se pencha du haut d'une haute chaire de bois lustré. Il portait sur la tête le même couvre-chef en forme de livre ouvert que j'avais déjà remarqué sur celle des gardiens, mais le sien était en or ! Il me regarda et dit, d'un air ennuyé :
– **Zut alors !** Des questions, des questions, toujours des questions ! Les gens passent leur temps

à me poser des questions et à attendre des réponses. Zut !
C'est alors que le hibou, irrité, volcta dans la salle, se posa sur le bureau du Recteur et l'interrompit en marmonnant :
– Ouh ouh... la nuit ne va pas tarder ! Posez votre question, s'il vous plaît !
Le Recteur souleva un MAILLET de bois et l'abattit avec force sur son bureau :

Je profitai de cette interruption pour demander :
– Recteur, j'ai besoin de votre aide pour trouver la réponse à une question très importante. Quelle est l'origine des tremblements de terre qui détruisent le royaume de la Fantaisie ?
Aussitôt, un murmure parcourut toute la salle et se transforma en un BROUHAHA terrible.
Tous les sages, les savants et les experts se mirent à parler en même temps et à se chamailler.

Le Recteur donna un nouveau coup de marteau sur son bureau, en s'écriant :

– **SILEEENCE !**

Quand, enfin, tout le monde se tut, il s'éclaircit la voix et il se lança dans un discours **long**, ampoulé et inutile.

– Chers amis, estimés collègues, je serai bref. Nous sommes réunis aujourd'hui pour répondre aux questions du Chevalier. Et puisqu'il est pressé, nous suivrons la procédure **urgente** réservée aux réponses **urgentes** à des questions

**urgentes**. Chacun de vous répondra à la question, mais, s'il vous plaît, veillez à être bref et à attendre votre tour ! C'est moi qui commencerai, puisque je suis le Recteur. Comme vous le savez, auparavant, il n'y avait jamais eu de tremblement de terre dans le royaume de la Fantaisie, mais, d'après la théorie du **Sursaut Soudain**, il est possible que la terre tremble aujourd'hui parce que... quelque chose l'a *épouvantée* ! À moins que, selon la théorie du **HOQUETISME**, le royaume de la Fantaisie ne sursaute parce qu'il a... le *hoquet* ! À moins que, conformément à la théorie du **fou rire**, il se produise que... en labourant les champs nous le *chatouillions* !

Il continua à égrener des théories ridicules, si bien que je finis par m'endormir tandis qu'il jacassait : *blablabla... blablabla... blablabla... blablabla... blablabla... bla*

**LES TREMBLEMENTS DE TERRE**

Dans la vie réelle, un tremblement de terre se produit lorsqu'une grande quantité d'énergie est libérée en un point profond de la terre, ou bien lorsque plusieurs plaques formant la coupe terrestre se déplacent en libérant de l'énergie et en générant des vibrations.

bla bla bla bla bla bla bla bla bl
bla bla bla bla bla bla bla bla b
bla bla bla bla bla bla bla bla bl
bla bla bla bla bla bla bla bla bla bla
bla bla bla bla bla bla bla bla bla bla bla
bla bla bla bla bla bla bla bla bla bla b
bla bla bla bla bla bla bla bla bla bla bl
bla bla bla bla bla bla bla bla bla bla bl
bla bla bla bla bla bla bla bla bla bla bla
bla bla bla bla bla bla bla bla bla bla bla bla
bla bla bla bla bla bla bla bla bla bla bla b
bla bla bla bla bla bla bla bla bla bla bla bla bla
bla bla bla bla bla bla bla bla bla bla bla bla b
bla bla bla bla bla bla bla bla bla bla bla bla bla bl
bla bla bla bla bla bla bla bla bla bla bla bla bla b
bla bla bla bla bla bla bla bla bla bla bla bla bl

a bla bla bla bla bla bla bla bla bla bla bla bla bla bla bla
a bla bla bla bla bla bla bla bla bla bla bla bla bla bla
bla bla bla bla bla bla bla bla bla bla bla bla bla
la bla bla bla bla bla bla bla bla bla bla bla bla
bla bla bla bla bla bla bla bla bla bla bla
la bla bla bla bla bla bla bla bla bla bla bla bla bla
a bla bla bla bla bla bla bla bla bla bla bla bla bla bla bla
a bla bla bla bla bla bla bla bla bla bla bla bla bla bla bla
bla bla bla bla bla bla bla bla bla bla bla bla bla bla bla
la bla bla bla bla bla bla bla bla bla bla bla bla bla
la bla bla bla bla bla bla bla bla bla bla
a bla bla bla bla bla bla bla bla bla bla bla bla bla
la bla bla bla bla bla bla bla bla bla bla
a bla bla bla bla bla bla bla bla bla bla bla bla bla bla
a bla bla bla bla bla bla bla bla bla bla bla bla bla
bla bla bla bla bla bla bla bla bla bla bla

Ronfff…
Bzzzz…

# QUELQU'UN A DIT « ROBUR » ?

Lorsque je me réveillai, je m'aperçus que l'AURORE pointait : Stylou avait parlé toute la nuit ! Heureusement qu'il avait dit : « Je serai bref... » ! Je décidai alors de l'interrompre et je m'écriai :

– Excusez-moi, ne pourriez-vous pas résumer, synthétiser, couper, raccourcir ? Bref, j'ai besoin d'une réponse urgente, et même très URGENTE, pour mon ami Robur !

À peine avais-je prononcé le nom « Robur » que je mis mes pattes devant ma bouche, mais il était trop TARD !

Un silence de plomb tomba dans la salle...

Stylou se tut, écarquilla les **YEUX**, fut pris d'une quinte de toux, puis devint **cramoisi**, avec de la fumée qui lui sortait par les oreilles, et gronda :

– Ai-je bien entendu ? Quelqu'un a dit Robur ? C'est bien Robur ??? *Robur Robur Robur ???*

Il se mit alors à pleurer comme une fontaine et à sangloter…

– Robur, le seul élève à qui je n'ai jamais réussi à transmettre mon gigantesque SAVOIR. *Il* a toujours préféré s'entraîner à manier l'épée et l'arc… *Il* s'est toujours ennuyé à mes leçons… *Il* préférait **grimper** aux arbres…

Le hibou me reprocha :

– Ouh, ouh, vous en avez fait de belles ! Le Recteur va pleurer pendant des heures. On ne vous avait pas **prévenu** de ne jamais nommer *Robur* ?

Malheureusement, Stylou de Trombone l'entendit et se mit à **PLEURER** encore plus fort !
Je lui tendis mon mouchoir et tentai de le consoler.
– Allons, allons, ne réagissez pas comme ça ! Mon ami Ro... je veux dire, mon ami roi des Elfes a dit qu'il regrettait beaucoup et qu'il s'en voulait terriblement d'avoir été aussi **dissipé**. Il m'a même demandé de vous remercier pour ce que vous aviez réussi à lui **apprendre**...
L'autre cessa aussitôt de pleurer.
– Ah bon, il se souvient vraiment de moi ? Vous dites qu'il me remercie ? **C'EST MERVEILLEUX !** Puisqu'il en est ainsi, je vais prononcer un bref discours sur la reconnaissance. Ainsi donc... *bla bla bla...*
Puis il se mit à parler à jet continu, entassant des mots très compliqués et très ennuyeux.
J'essayai de lui rappeler qu'il devait encore répondre à ma

**LA RECONNAISSANCE**
La reconnaissance est une valeur très importante. Elle signifie que l'on sait voir (c'est-à-dire reconnaître) que quelqu'un a fait quelque chose pour nous, ce qui nous conduit à lui offrir en échange un merci ou un sourire.

question urgente sur les tremblements de terre, mais il ne m'écoutait plus !
Je décidai alors de m'éclipser : il était évident qu'il ne me donnerait aucune réponse.
Heureusement, je fus rejoint par le célèbre Grillon Parlant de Pinocchio, qui me murmura à l'oreille :
– Chevalier, si vous êtes pressé de recevoir une réponse à votre question, je vous conseille de vous adresser à la très fameuse Bibliothèque Parlante : là-bas, vous pourrez trouver une réponse. Mais faites trèèès attention !
Je demandai, perplexe :
– Pourquoi s'appelle-t-elle Parlante ? Et pourquoi faut-il faire attention ?
Mais il était déjà reparti en sautillant.
Je finis par trouver la Bibliothèque, poussai la porte et entrai.

Aussitôt, je sentis un merveilleux et mystérieux parfum...

GRATTE ET DÉCOUVRE…
LE MYSTÉRIEUX PARFUM !
Gratte et renifle à l'intérieur de la ligne pointillée…
Le parfum mystérieux est :
parfum de livres !

# Le secret de la Bibliothèque Parlante

Sur le sol, au milieu de la Bibliothèque, était tracé un petit cercle au centre duquel se dressait un pupitre où était posé un livre, avec d'étranges instructions.

Je décidai de suivre à la lettre ces instructions

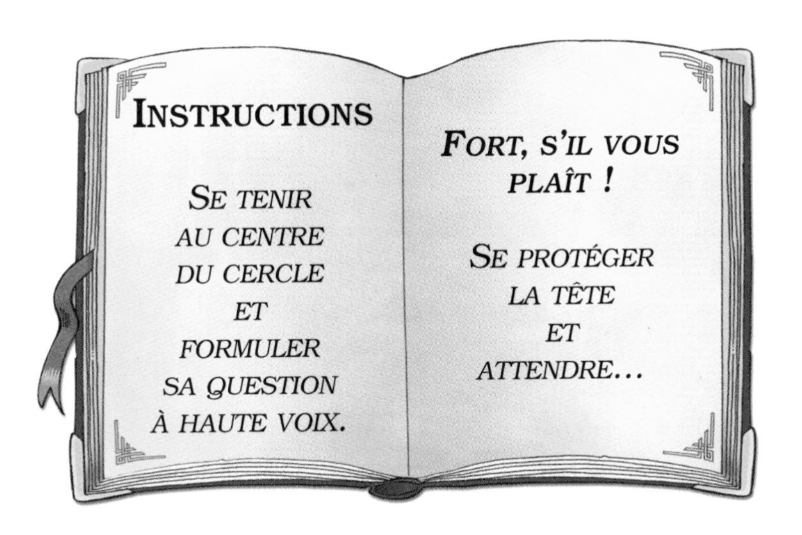

bizarres... J'avais si peur que mes moustaches vibraient, mais je repoussai le pupitre sur le côté, me plaçai au centre du cercle et demandai d'une voix TREMBLANTE :

– Quelle est l'origine des tremblements de terre qui dévastent le royaume de la Fantaisie ?

Une voix MYSTÉRIEUSE tonna :

– Nigaud, il est écrit « formuler sa question à haute voix » !

Je HURLAI alors la question, puis enfonçai mon casque sur ma tête et attendis...

Se tenir au centre du cercle et formuler sa question à haute voix...

Se protéger la tête et attendre...

Soudain, le sol tembla, des étagères pleines de livres OSCILLÈRENT, puis il se mit à me pleuvoir sur la tête des volumes de tous formats et de toutes couleurs. Mais le plus incroyable était que ces livres parlaient, ou plutôt qu'ils CRIAIENT !

– Moi d'abord, lisez-moi d'abord !

– Tais-toi ! On t'a déjà consulté l'année dernière !

– Poussez-vous, j'étais là avant vous !

En un rien de temps, je fus complètement enseveli sous une montagne de livres.

**... les livres contenant la réponse à votre question arriveront « par la voie aérienne » !**

Incroyable, dans cette mystérieuse bibliothèque vivaient des livres parlants !

Dès que je fus remis de ma **FRAYEUR**, je m'exclamai :

– **SILENCE !** Après tout, nous sommes dans une bibliothèque !

Aussitôt, tous les livres se turent et j'en profitai pour ordonner :

– Vous allez vous partager en PILES par sujet : à droite, les livres sur les tremblements de terre, à gauche, ceux sur les volcans...

Aussitôt, sautillant et bondissant, les livres commencèrent à se déplacer pour se ranger comme je leur avais dit, mais ils ne cessaient de se disputer parce que chacun voulait être au sommet de la pile pour être lu en premier. Ils créaient un BROUHAHA terrible.

– Moi d'abord, lisez-moi en premier !

– C'est toujours comme ça avec vous, les Livres de poche ! Vous êtes pressés d'être lus !

– Et vous, les Livres de LUXE, vous vous prenez pour je ne sais quoi simplement parce que vous avez une reliure en cuir !

Puis ils se mirent à se donner des bourrades et à se faire des grimaces ! Exaspéré, je m'écriai :

– 

Rangez-vous dans l'ordre alphabétique et restez bien tranquilles. Je vous lirai tous, parole d'honneur de rongeur !

Les livres s'entassèrent autour de moi, formant trois piles aussi hautes que des TOURS.

Il me fallut un jour et une nuit pour les lire tous ! J'appris beaucoup sur les tremblements de terre et sur les volcans, mais ne trouvai pas de réponse à ma QUESTION.

Aucun de ces livres n'expliquait pourquoi la terre s'était mise à trembler depuis une semaine seulement, ni pourquoi il n'y avait jamais eu de tremblement de terre auparavant au royaume de la Fantaisie… Toutefois, j'avais fait une découverte intéressante : les tremblements de terre sont toujours plus forts en un certain point, appelé ÉPICENTRE.

TREMBLEMENT DE TERRE : *mouvement de la croûte terrestre qui se manifeste sous la forme de secousses et de vibrations.*
VOLCAN : *montagne en forme de cône, avec un cratère dont peuvent sortir de la lave, des cendres et des gaz.*
ÉPICENTRE : *point à la surface terrestre frappé en premier et plus intensément par un tremblement de terre.*
SECOUSSE : *violent mouvement de la surface terrestre dû aux tremblements de terre.*

Je décidai donc de me diriger vers cet endroit, là où les secousses étaient

Royaume
des Dragons de feu
Royaume
des Lutins
Royaume
des Fées
Royaume
des Elfes
Comté des
Licornes bleues
Royaume
des Trolls
Volcan
de Feu
Grande
Ampoulerie
Royaume
des Terricoles
Pays des
Ogres
N
O
E
S

les plus fortes, même si j'avais les moustaches qui en tremblaient de frousse ! Je sortis de ma besace la carte du royaume de la Fantaisie et fis une marque rouge sur l'endroit qui, d'après moi, était l'épicentre : le volcan de Feu !
Pour y arriver, il me faudrait marcher en direction de l'ouest...
Tandis que je quittais cette ÉTRANGE bibliothèque, les livres essayaient de me retenir :
– Chevalier, ne partez pas ! Restez encore un peu avec nous !
– Cela faisait si longtemps que personne n'était plus entré ici...
– On voit que vous vous y connaissez : personne ne nous avait jamais feuilletés comme vous !
Je les saluai :
– Merci pour votre aide, j'ai trouvé bien des informations intéressantes dans vos PAGES ! Mais je dois vraiment y aller : mon amie Laowyn et mon ami Robur m'attendent !

# LE MYSTÈRE DU MÉDAILLON

En sortant de la Grande Ampoulerie, j'étais si fatigué que j'avais les pattes lourdes et que mes yeux se fermaient. J'avais passé un JOUR et une nuit à lire des montagnes de livres sur les tremblements de terre et sur les volcans. Je m'installai donc à l'OMBRE d'un grand arbre pour attendre mes amis. Il me tardait de leur raconter ce que j'avais découvert ! Mais, au bout de quelques minutes, je m'endormis…

Lorsque j'ouvris les yeux, Robur, Laowyn et Alys, la princesse des *Dragons d'argent*, une amie avec qui j'avais vécu tant d'aventures lors de mes précédents voyages au royaume de la Fantaisie, se tenaient devant moi.

Je remarquai aussitôt que leurs visages étaient TRISTES.

– Que se passe-t-il ? demandai-je, anxieux.

Laowyn me dit en **PLEURANT** :

– Quand je suis arrivée au palais royal d'Alys, elle

m'a appris une nouvelle terrible : notre amie Gaïa a DISPARU...

– Il y a une semaine, j'attendais l'arrivée de Gaïa, mais elle était en retard, poursuivit Alys. Inquiète, j'ai envoyé mes dragons à sa recherche. Ils n'ont trouvé que ce MÉDAILLON...

Robur ajouta :

– Gaïa ne se sépare jamais de ce médaillon : c'est un CADEAU de sa sœur Floridiana.

Laowyn sanglota :

– ELLE A PEUT-ÊTRE ÉTÉ ENLEVÉE !

Alys me montra le médaillon : au centre étaient gravées les lettres G et F, les initiales de Gaïa et Floridiana ! Tout autour étaient enchâssées sept pierres aux sept couleurs de l'arc-en-ciel. Je remarquai que, au revers, était gravée une inscription en alphabet fantaisique :

Réussirez-vous à la traduire* ?

* Vous trouverez l'alphabet fantaisique page 320.

# LE MÉDAILLON DE GAÏA

C'est Floridiana, la reine des Fées, qui a offert ce médaillon à sa sœur Gaïa, comme symbole de l'amour qui les unit. En effet, au revers, figure l'inscription : « Unies pour toujours ». C'est un médaillon enchanté : il peut exaucer sept vœux, un pour chacune des pierres qui y est enchâssée.

Je lus à haute voix l'inscription du médaillon :
– UNIES POUR TOUJOURS !
J'étais ému : ce bijou était le symbole de l'AMOUR qui lie deux sœurs, un amour plus fort que l'éloignement, plus fort que toutes les difficultés.
Tandis que je réfléchissais, Laowyn s'écria :
– Je me souviens, maintenant : une fois, Gaïa m'a raconté que ce médaillon était un bijou ENCHANTÉ, qu'on peut l'utiliser pour exaucer sept vœux.

**AMOUR ET ÉLOIGNEMENT**

Les grandes distances ne suffisent pas à effacer les sentiments sincères, parce que les personnes que nous aimons restent toujours dans notre cœur.
Les véritables amis sont ainsi : une fois qu'on les a rencontrés, ils sont toujours proches de nous !

Alors je désirai de toutes mes forces savoir où se trouvait Gaïa et je dis :

– MÉDAILLON, À TOI DE JOUER !

Aussitôt, un RAYON de lumière rouge jaillit du médaillon et dessina dans l'air une traînée en forme de FLÈCHE : c'était la direction à suivre !

Je m'exclamai, satisfait :
– La flèche nous dit d'aller en direction de l'ouest, vers le volcan de Feu, c'est-à-dire là où je voulais vous conduire, car c'est là que semblent naître les secousses du tremblement de terre !
Quand la flèche s'ÉVANOUIT, je pris le médaillon à la main et remarquai qu'une pierre avait perdu sa couleur : de rouge, elle était devenue grise et ne brillait plus. Le médaillon

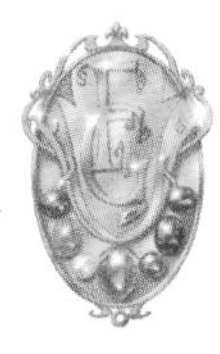

avait exaucé le premier vœu, il n'en restait plus que six et je me promis de ne pas les gâcher.

Robur s'exclama alors, nous encourageant d'une voix ferme :

– **Courage, mes amis !** Nous avons une mission à remplir : libérer Gaïa et sauver la forêt des Elfes !

Alors, tous en chœur, nous criâmes avec force :

– **Nous allons libérer la princesse Gaïa !**

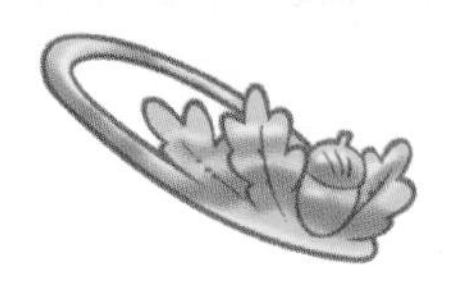

# Adieu, douce Laowyn !

Nous nous mîmes aussitôt en route dans la direction indiquée par la **FLÈCHE ROUGE**.
Laowyn marchait en tête, prête à affronter tous les **DANGERS** pour sauver son amie, mais Robur la rejoignit.
– Laowyn, ma sœur, rentre à Castelcerf !
Elle le coupa :
– Je vais avec vous : je veux sauver mon amie. Elle a besoin de moi !
Robur insista :
– Notre peuple aussi a besoin de toi : qui veillera sur notre royaume ? Qui guidera les Elfes dans ces moments **DIFFICILES** ? Nous ne pouvons pas nous éloigner tous les deux…
À ces mots, Laowyn se tut et une **LARME** coula sur sa joue.

Castelcerf

– J'aimerais tant participer à cette **MISSION**, mais je dois accomplir mon devoir : je rentre à Castelcerf !

Je lui fis une promesse solennelle :

– Je ferai tout mon possible pour mener cette mission à bien, **parole de Chevalier** !

Laowyn acquiesça :

– Au revoir, Chevalier, mais prenez garde aux **GOUFFRES** ! Je ne serai plus là pour vous sauver si vous tombez dedans !

Je soupirai :

– Je ferai de mon mieux, mais je ne promets rien ! J'ai le chic pour aller au-devant des **ENNUIS**, c'est plus fort que moi !

Ainsi, alors que la douce Laowyn rentrait chez elle, au royaume des Elfes, nous poursuivîmes en direction de l'ouest, vers le volcan de Feu. Plus nous avancions dans la direction indiquée par la flèche, plus les **secousses** étaient fortes : il était évident que nous approchions vraiment de l'épicentre, c'est-à-dire de l'endroit où naissaient les tremblements de terre. Nous marchâmes à un rythme soutenu pendant sept jours et sept nuits, ne nous accordant que de brèves haltes pour MANGER et tenter de nous reposer un peu. Mais je ne parvenais pas à dormir, car mon sommeil était troublé par d'horribles cauchemars.

Mille questions me tourmentaient, même si je n'osais pas les exprimer à haute voix…

« Quelle horrible et méchante CRÉATURE a bien pu enlever Gaïa ? »

« Quels dangers devrons-nous affronter pour la retrouver ? »

« Réussirons-nous à la libérer ? »

Au bout de sept jours de marche et de sept nuits blanches, à l'aube du huitième jour, nous aperçûmes au fond d'une vallée pierreuse la silhouette très particulière du volcan de Feu…

COMMENT ALLAIT GAÏA ?

ÉTAIT-ELLE PRISONNIÈRE ?

ÉTAIT-ELLE BLESSÉE ?

Le volcan
de Feu

BIENVENUE
DANS LE
VOLCAN DE FEU !
C'est ici que vivent les Gnomes de feu, des créatures néfastes qui s'ingénient à réveiller les volcans et à provoquer des tremblements de terre.
1. Grand Fourneau abyssal
2. Fourneaux secondaires (Bouillantia, Enflammia, Brûlantia)
3. Passage de la Grande Bouilloire
4. Grande Fumée asphyxiante
5. Petite Fumée toussotante
6. Petit Panache puant
7. Piste du Voyageur rôti
8. Sentier Brûlepied
9. Arête du Souffle ardent
10. Rocher du Voyageur épouvanté
11. Volcan de Feu
12. Gouffre Bouillonnant
5
2
12
7

4
6
11
3
8
10
2
2
1
9

# Voici le volcan de Feu !

Nous arrivâmes enfin en vue du volcan de Feu : je pouvais déjà distinguer un panache qui s'élevait, MENAÇANT, au-dessus du cratère. Inquiet, je demandai :

– Mes amis, voyez-vous également cette fumée noire au sommet du volcan ?

Alys ajouta, ahurie :
– De la fumée ? **BIZARRE...** Le volcan de Feu est éteint depuis des siècles : il ne devrait sortir aucune fumée de son cratère !
Je hurlai, en proie à la **PANIQUE** :
– Au secours ! Le volcan s'est réveillé ! Il pourrait entrer en éruption d'une seconde à l'autre !

**VITE, FUYOOOONS !**

J'allais faire un rapide demi-tour quand Alys me rattrapa par la queue.
– Chevalier, vous oubliez notre mission !
Je **rougis**.

– Non, c'est seulement que je n'aime pas du tout l'idée d'explorer un volcan en activité, voilà tout !
Robur posa une main sur mon épaule.
– Tu ne dois pas avoir honte, moi aussi j'ai peur !
Je murmurai, incrédule :
– V-Vraiment ?
– Oui, il est normal d'avoir peur. Tout le monde a peur, même les héros les plus courageux, même les rois des Elfes !
– ... et même les dompteuses de **Dragons** ! ajouta Alys en souriant.

**UN VÉRITABLE HÉROS LUI-MÊME PEUT PARFOIS AVOIR PEUR...**
Il est normal d'avoir peur dans certaines situations : tout le monde a peur ! Le véritable héros n'est pas celui qui n'a jamais peur, mais celui qui sait affronter ses propres peurs, que ce soit seul ou avec l'aide d'un ami.

Robur continua :
– Mon vieux maître d'armes disait toujours : « LE VÉRITABLE HÉROS N'EST PAS CELUI QUI N'A JAMAIS **PEUR**, MAIS CELUI QUI PARVIENT À DOMINER SA PEUR ! »
Alys me sourit.
– Et c'est pour cela que vous êtes un véritable héros, **Chevalier** !

Je la remerciai, soulagé :
– **Merci, mes amis.** Avec vous, je réussirai !

**EN AVANT, COMPAGNIE !**

Nous nous acheminâmes dans cette vallée pierreuse, où ne poussait aucun arbre, où la terre était aride et desséchée. Seuls quelques arbustes épineux osaient sortir du sol, tandis que, çà et là, des mares **BOUEUSES** et **bouillonnantes** dégageaient une effroyable odeur de soufre.
Quel endroit CAUCHEMARDESQUE !
Dans le lointain, on distinguait également des jets de vapeur très hauts : des **GEYSERS** !
Je me souvins de ce que j'avais lu dans les livres de la Bibliothèque Parlante :

> *Un GEYSER est une source d'eau chaude qui connaît des éruptions périodiques sous forme de colonnes d'eau chaude et de vapeur…*

À mesure que nous progressions dans la vallée, l'air était de plus en plus CHAUD. Je m'assis sur un **ROCHER** pour étudier la carte.

– Hum... nous ne devons pas être très loin d'un endroit appelé « LE GÉANT BLANC », mais je ne vois aucun Géant... savoir où il se trouve.

Puis j'entendis un **GRONDEMENT** en dessous de moi...

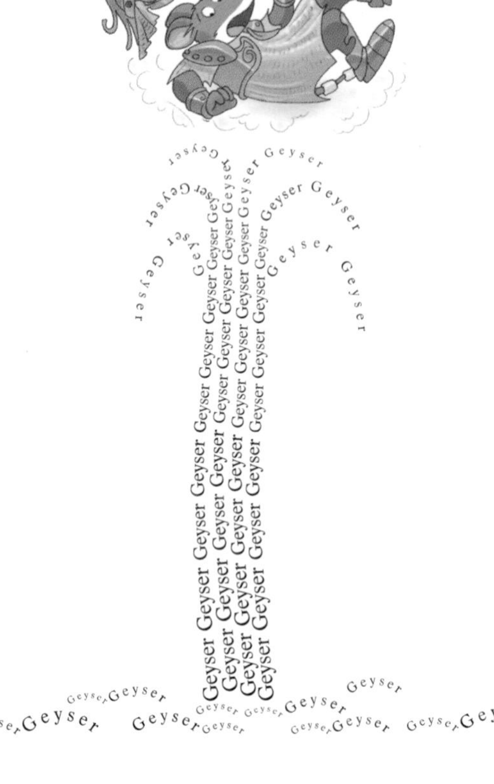

Je me retrouvai suspendu dans l'air à la pointe d'un jet de vapeur bouillante à six mètres au-dessus du sol !

Je hurlai :

– Faites-moi redesceeendre, j'ai le VERTIGE !

Comme s'il m'avait entendu, le jet de vapeur s'interrompit d'un coup et je retombai, mon arrière-train atterrissant sur un caillou pointu ! SBANG!

Je protestai, en me massant la queue :

– Aïe, je ne voulais pas dire aussi vite !

Mais, de nouveau, le geyser me souleva dans les airs ! Puis il me laissa tomber à terre... puis il me souleva encore !

*Pauvre de moi !*

J'avais l'impression d'être un **ASCENSEUR** fou... Alys m'aida à me libérer.
– Chevalier, ne restez pas là ! Vous êtes assis sur un geyser !
– P-pauvre de moi, voici où était passé le GÉANT BLANC : j'étais assis dessus !
Dès que je fus remis de mes émotions, nous reprîmes notre marche, mais nous ressentîmes bientôt une terrible SECOUSSE et nous tombâmes à la renverse, tandis que d'énormes cailloux déboulaient sur nous.
Nous nous abritâmes derrière un **ROCHER**.

J'aurais préféré m'enfuir à toutes pattes, mais la pensée de notre mission me donna le courage de continuer. Je me levai, époussetai mon armure et dis :

– Allez, les enfants, en route !

Mais nos ennuis n'étaient pas terminés !

Le vent nous apporta une fumée noire dense et PUANTE, puis un épais nuage de cendres grises. La fumée et l'odeur nous firent tousser et nous fûmes bientôt entièrement couverts de noir et de cendres. Nous ressemblions aux TROLLS DES MARAIS *(pour ceux qui ne savent pas, ce sont les plus sales et les plus puants des Trolls !).*

Aussi, lorsqu'elle aperçut, au fond de la vallée, un torrent aux EAUX limpides, Alys se précipita, se débarrassa de sa cuirasse et plongea.

Robur marmonna :

– pff... les filles ! Nous sommes en mission, nous n'avons pas de temps pour nous soucier de notre apparence !

Mais, lorsqu'il découvrit son reflet dans une

flaque, il alla se baigner lui aussi : nous étions vraiment très sales !

Je m'apprêtai à les rejoindre et essayai de me libérer de mon armure, mais mon couvre-queue s'était coincé.

**JE TIRAI... TIRAI... TIRAI... TIRAI... TIRAI...** mais le couvre-queue ne bougeait pas d'un poil !

Puis, brusquement, il se détacha d'un coup et ma besace **roula** dans l'eau !

# Tom Un Encyclopedicus

À peine ma besace avait-elle touché l'eau du torrent qu'une petite voix cria :

– AU SECOURS ! SAUVEZ-MOI !

Qui avait crié ?

Qui avait besoin d'aide ?

Nous étions seuls, Alys, Robur et moi !

J'entendis de nouveau ce cri, mais, cette fois, il semblait plus lointain.

– AUUUU SECOUUUURS ! SAUUUUVEZ-MOIII !

C'est alors que je m'aperçus que ma besace s'éloignait en flottant, emportée par le courant impétueux du torrent.

Était-il possible que ce soit elle qui parle ?

La voix semblait bien provenir de là !

INTRIGUÉ, je me mis à suivre la besace en

courant sur la rive, pendant qu'Alys et Robur essayaient de la rattraper sur l'autre bord.
Je vis la besace tournoyer dans des remous et il me sembla que, à l'intérieur, il y avait *quelque chose*... qui se débattait !
Je plongeai dans l'eau et attrapai la besace : il y avait bel et bien *quelque chose* qui s'agitait à l'intérieur et qui tremblait de peur !
Je hurlai :
– Courage, je vais te sauver !

Attention !

Mais, aussitôt, le courant nous emporta, de plus en plus vite…

C'est alors seulement que je m'aperçus que Robur gesticulait pour attirer mon attention : il essayait de me dire quelque chose… mais je n'entendais pas bien, il y avait trop de vacarme ! J'essayai de lire sur ses lèvres.

– A… T… T… E… N… T… I… O… N À L… A C… A… S… C… A… D… E !

**LA CASCADE ?**

Avait-il bien parlé d'une cascade ? Oui, il avait bien parlé d'une cascade ! Une seconde plus tard, je commençai à tomber tomber tomber tomber tomber…

Ma chute se termina dans les eaux en contrebas. Heureusement, je ne me fis aucun mal et parvins à m'agripper à un **ROCHER**, mais, dans le choc, ma besace avait été arrachée et était de nouveau EMPORTÉE par le courant.

*Quelque chose* recommença à hurler :

– **AU SECOUUURS !**

*Quoi que ce soit*, je voulais le sauver.

Je pris le médaillon et criai :

– MÉDAILLON, À TOI DE JOUER !

Aussitôt, un RAYON de lumière orange, transparent comme un arc-en-ciel, jaillit du médaillon, se transforma en un filet LUMINEUX, recueillit la besace et la déposa sur la terre ferme.
Je nageai jusqu'à la rive et, lorsque je me penchai pour ramasser la besace, *quelque chose* me sauta au cou, en criant :
– *Mercimercimerci*, Chevalier, vous m'avez sauvé la vie ! Je n'oublierai *jamaisjamaisjamais* ! Que mes pages se détachent si je l'oublie un jour ! Parole de *Tom Un Encyclopedicus de Libris* !
C'était un livre de la Bibliothèque Parlante. Je le détachai de mon cou et le déposai à terre, lui demandant, surpris :
– Que fais-tu ici ?
Il secoua ses pages **HUMIDES**, étira sa couverture trempée et marmonna, embarrassé :
– Euh... j'ai décidé de venir avec vous. Je m'ennuyais, je voulais un peu d'**AVENTURE**, voilà tout ! C'est ainsi que je me suis glissé dans votre besace.

# Tom Un Encyclopedicus

**Prénom :** Tom Un
**Nom :** Encyclopedicus de Libris
**Adresse :** Bibliothèque Parlante de la Grande Ampoulerie, troisième étagère à gauche, cinquième étage.
**Taille :** grand format (pour un livre, bien sûr !), c'est-à-dire environ 35 centimètres.
**Yeux :** noir, au regard malin.
**Marque-page :** en soie bleue (c'est une édition de luxe !).
**Couverture :** en vieux cuir, décoré à l'or pur.
**Auteur :** inconnu, mais il aurait été écrit, dans sa jeunesse, par Stylou de Trombone, Recteur de la Grande Ampoulerie.
**Signe particulier :** il bavarde en permanence (à tort et à travers !).
**Son secret :** il veut devenir un Livre d'aventures !
**Sa plus grande peur :** se mouiller les pages.

Je le grondai :

– En me suivant en cachette, tu as couru de gros risques, tu le sais ?

Il pleurnicha :

– Et voilà, maintenant, vous êtes en colère contre moi ! *Pauvrepauvrepauvre* Tom Un : je me suis mouillé les PAGES pour rien ! Vous allez me chasser… *snif* !

Je le consolai :

– Tu peux venir avec nous. Tu feras partie de la Compagnie !

Il me sauta de nouveau au cou, tout HEUREUX ! Je le mis à sécher au soleil sur une pierre, et il secoua ses pages pour mieux chasser l'humidité.

# DEUX, JE DIS BIEN DEUX, NOUVELLES...

Je regardai autour de moi : je me trouvais sur la rive du torrent coulant au fond d'une vallée très étroite et très **profonde** creusée par les eaux. Le volcan de Feu était très proche !

Je vidai ma besace et fis sécher tout ce qu'elle contenait : les vêtements de rechange, la carte du royaume de la Fantaisie et le précieux MÉDAILLON de Gaïa. Je l'examinai : désormais, une autre pierre avait perdu sa couleur et était devenue **GRISE** !

Je soupirai :

– Je suis content d'avoir sauvé *Tom Un*, même s'il ne me reste que cinq vœux à formuler !

Je fus bientôt rejoint par Robur et

Alys, qui m'embrassèrent, heureux de me retrouver sain et sauf. Je leur présentai notre nouveau compagnon d'aventure qui se mit aussitôt à sautiller, tout ému, et à leur raconter comment je l'avais sauvé.

Il raconta qu'il avait toujours rêvé de se transformer en Livre d'AVENTURES !

Quand Tom Un se tut enfin, Robur étudia la carte et dit :

– J'ai deux, je dis bien deux, nouvelles : une bonne et une MAUVAISE. Laquelle voulez-vous connaître en premier, Chevalier ?

– La bonne !

– La bonne nouvelle, c'est que… nous sommes presque arrivés au volcan de Feu.

Je laissai éclater ma joie :

– HOURRA !

Puis je demandai, inquiet :

– Euh, et quelle est la mauvaise nouvelle ?

Robur poursuivit :

– La mauvaise nouvelle, c'est qu'il va nous falloir grimper jusqu'au sommet du volcan pour comprendre ce qui se passe !

Je regardai les très hautes et très **RAIDES** parois rocheuses et hurlai :

– Q-quoi ? Q-quoi ? Q-quoi ? Ces parois-*là* ? Rien que de les regarder, j'en ai le vertige

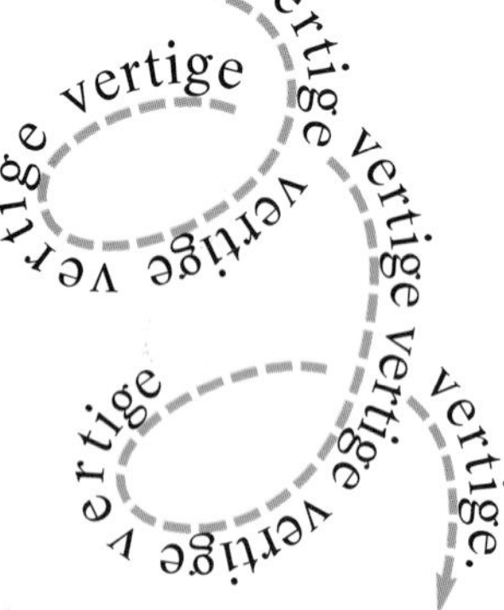


J'ai terriblement peur du VIDE !

Pour m'aider, Tom Un commença à m'ÉVENTER avec ses PAGES, puis il se mit à califourchon sur mon épaule et hurla :

– Courage, Chevalier, ne craignez rien ! Je vais

vous aider, moi, je vous donnerai de bons conseils, je sais tout, moi ! Il suffit que vous ne regardiez pas en BAS, c'est moi qui vous fermerai les yeux !

Je commençai donc l'ascension, mais j'avais la tête qui tournait, tournait, tournait…

J'avais l'impression d'être sur un manège !

Mais je me forçai à continuer de grimper pendant un moment qui me parut interminable.

Enfin, Tom Un retira ses mains de devant mes yeux. Nous étions arrivés au sommet du volcan de Feu !

LE VOLCAN DE FEU
C’est le plus haut volcan du royaume de la Fantaisie, à l’ouest du royaume des Elfes. Il est éteint depuis des siècles, mais, depuis quelque temps, des panaches de fumée sortent de son cratère et c’est de là que semblent provenir les tremblements de terre qui ont dévasté le royaume de la Fantaisie. Comme c’est bizarre !

# Mille mauvais gnomes de feu

Le cratère du volcan de Feu s'ouvrait devant nous, sombre et menaçant. Il en sortait une fumée noire et PUANTE.

Je me penchai au bord du cratère et regardai dans ce trou **NOIR** et très profond. Il me sembla voir quelque chose bouger au fond, mais, dans l'obscurité et avec toute cette fumée, j'étais incapable de savoir de quoi il s'agissait. Je demandai à voix basse à Robur :

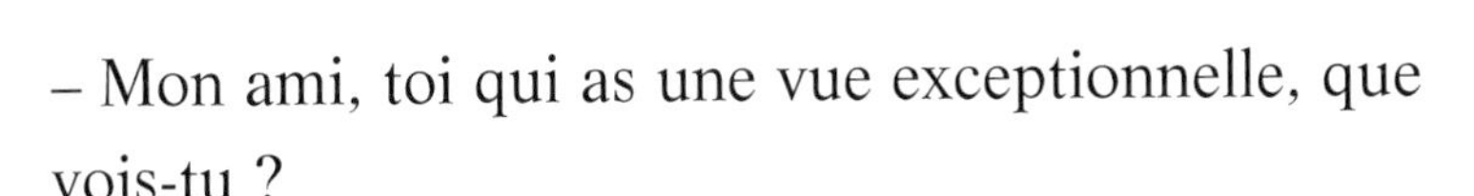

– Mon ami, toi qui as une vue exceptionnelle, que vois-tu ?

Robur nous fit signe de garder le SILENCE, se pencha au bord du cratère et regarda en bas en plissant les yeux.

Puis il murmura :

– Il y a quelqu'un là-bas… Avec ma vue acérée d'Elfe, j'arrive à distinguer quelque chose d'incroyable…

Il regarda encore et murmura :

– Oui, je les vois ! Mais je n'en crois pas mes yeux ! Il y a mille méchants Gnomes à la barbe rousse comme le feu qui jettent des troncs d'arbre à l'intérieur de la gueule INCANDESCENTE du volcan !

Il fit un écran de sa main devant ses yeux, puis poursuivit en FRISSONNANT :

– Et les arbres qu'ils jettent dans le volcan proviennent des forêts des Elfes !

Bouleversé, il murmura :

– Il faut les arrêter, nous n'avons pas de temps à perdre !

Nous commentâmes la nouvelle à voix basse :
– Mais qui sont ces méchants Gnomes ?
– Pourquoi BRÛLENT-ils les arbres des Elfes ?
– Serait-ce la cause du tremblement de terre ?

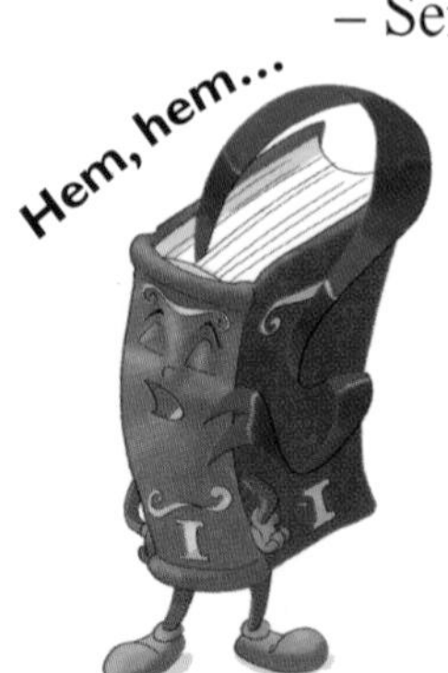


Tom Un murmura, en prenant un air inspiré :
– Hem, hem... Si vous le permettez, je vérifie dans mes pages ! En toute modestie, je dois reconnaître que je sais beaucoup, vraiment beaucoup, et même tout ce qu'il y a à savoir, et...
Alys l'interrompit :
– Cher ami, au lieu de te vanter, ne pourrais-tu pas nous donner quelques informations utiles ?
Le livre se vexa :
– Oh, que de précipitation ! Je vais te satisfaire tout de suite ! Donc donc donc... Voyons voyons voyons... Voilà, à la lettre G comme Gnomes : « Gnomes des bois »... « Gnomes de feu » !
Puis, triomphant, il nous mit sous le nez la page

# LES GNOMES DE FEU

Les Gnomes de feu vivent dans le cratère des volcans éteints et se nourrissent de cendres et de lave. Ils aiment le feu et l'obscurité, mais ils adorent surtout réveiller les volcans de leur sommeil. Pour cela, ils construisent, au fond des cratères des volcans, d'énormes fourneaux où ils allument de grands feux et ils battent de gigantesques tambours qui font un bruit effroyable. Les Gnomes de feu sont gouvernés par sa Brûlante Majesté, le roi Brasier IV, de l'ancienne famille des Gnomes de feu, Seigneur des Brûlis, Maître de Grandelave, Sire des Ponces et Grand Incinérateur, et par son épouse, la reine Charbonette III de la dynastie des Soufreux, dame de Lavefumante.

Ce sont des créatures très dangereuses en raison de leur caractère irascible : la seule chose qu'ils craignent, c'est l'eau !

où il était question des **GNOMES DE FEU**.
– Voilà, lisez donc, ça ne peut pas nuire à votre culture ! Vous trouverez toujours tout ce qu'il vous faut dans mes pages !
**BOULEVERSÉS** par cette nouvelle, nous nous assîmes par terre au bord du cratère pour discuter de ce que nous devions faire. Alys parla la première :
– Il nous faut un plan : les Gnomes de feu sont trop nombreux, nous ne pouvons pas les attaquer ! Nous sommes quatre contre **MILLE**, nous n'avons aucun espoir de l'emporter.
Tout en réfléchissant, Robur traçait des signes dans la poussière.
– Hum... hum... hum... la seule chose dont les Gnomes de feu ont peur, c'est l'**EAU**...
Puis il s'exclama :
– Il nous faut de l'eau, beaucoup d'eau ! Avec de l'eau, nous pourrons effrayer les Gnomes de feu et éteindre le feu qui brûle dans le cratère.
Je demandai, perplexe :
– Mais où comptes-tu trouver toute cette eau ?
Robur poursuivit :

– Je m'adresserai à quelqu'un qui s'y connaît en eau : un pirate ! Je connais très bien Capitan Tempête, le redoutable capitaine du navire volant *Ancre de Bronze*, chef des Terribles Tempêtueux, ces pirates qui voyagent dans le ciel pour capturer des éclairs et déchaîner des tempêtes. Ici, au royaume de la Fantaisie, tout le monde les craint...

Mais Alys le coupa, dubitative :

– Robur, tu crois vraiment qu'une bande de pirates va nous aider ?

Robur eut un sourire MYSTÉRIEUX.

– Ne craignez rien, mes amis, je sais ce que je fais ! Capitan Tempête me doit un service, et il m'aidera.

Je demandai :

– Mais comment ferons-nous pour trouver ce pirate ? Si vraiment son bateau navigue parmi les **nuages**, nous ne pourrons pas en approcher…

Alys se leva et dit fièrement :

– Ça, si vous le permettez, je m'en occupe !

Elle joua un air sur sa **flûte d'argent** et, immédiatement, accourant du royaume des Dragons d'argent, apparut sa Dragonne, Étincelle. Elles décollèrent aussitôt et disparurent dans les nuages.

Le lendemain, à l'aube, nous fûmes réveillés par un épouvantable cri :

– Jetez l'ancre !

J'eus à peine le temps de me pousser qu'une énorme ancre de bronze s'écrasa à côté de moi ! C'était le navire des **TERRIBLES TEMPÊTUEUX** qui venait d'arriver !

L'Ancre
de Bronze

1
2
3
4
5
6

9
10
8
7
11
BIENVENUE
À BORD DE L'ANCRE
DE BRONZE !
Navire pirate, terreur des cieux, porteur du vent, de la grêle et de la tempête !
1. Grand Ballon volant gonflé des paroles inutiles (plus léger que l'air !)
2. Grande Hélice de Poupe
3. Petite Hélice Tranchenuées
4. Réservoir d'Éclair frais
5. Appartements de Capitan Tempête
6. Aileron Tranchevent
7. Machine Pileglace
8. Ailes Attrapéclairs
9. Figure de Proue Soufflerie
10. Antenne Crachéclairs
11. Douche géante, répand des averses de première qualité !

# TONNERRES, ÉCLAIRS ET FOUDRES

Aussitôt, tombant du navire, on entendit une voix aussi forte que le tonnerre :

– ÉQUIPAGE ! Faites monter les *invités* !

Puis retentit un rire menaçant, qui me fit frissonner :

– OUAHAHAHA ! OUAHAHAHA ! OUAHAHAHA !

Je demandai à Robur :

– Tu es sûr que nous ne courons aucun RISQUE ? Je n'ai pas beaucoup aimé le ton sur lequel il a prononcé le mot « invités »...

Cependant, cent voix répondirent :

– Oui, capitaine ! À vos ordres, capitaine ! Tout de suite, capitaine !

Une échelle de corde descendit et nous escaladâmes jusqu'au pont de cet étrange navire volant. Tout en montant, je remarquai que la coque de bois était réparée avec des plaques de métal ROUILLÉ. Dès que le dernier d'entre nous eut posé le pied sur le PONT, nous fûmes entourés par le plus incroyable équipage de MONSTRES que l'on puisse imaginer : on aurait vraiment dit qu'ils sortaient d'un cauchemar !

J'observai en frissonnant certains de ces monstres épouvantables. Il y avait :

**75** POULPANTS, *créatures à la tête de poulpe et aux tentacules visqueux comme de la* BAVE ;

**93** COQUILLANTS, *au corps recouvert d'écailles brillantes et noires comme des* COQUILLES *de moules, qui avait des petits yeux méchants ;*

**67** PIERREUX, *aux puissants membres de* GRANIT *et au visage impassible ;*

**362** ARACHNOÏDES, *aux yeux* GLOBULEUX *et menaçants, qui déplaçaient leurs huit pattes dans un horrible* grincement...

*... et de nombreux autres dont je ne me rappelle pas le nom, mais qui étaient tous aussi monstrueux et terrifiants !*

À leur tête se tenait Capitan Tempête, qui tonna :

– BIENVENUE À BORD DE L'ANCRE DE BRONZE !

Il nous dévisagea de ses yeux FLAMBOYANTS, puis ordonna à son équipage :

POULPANTS

COQUILLANTS

PIERREUX

ARACHNOÏDES

– Jetez-les en prison, avec cette Alys, l'espionne qui est arrivée hier montée sur un Dragon !

J'essayai d'expliquer :

– Euh, monsieur Capitan...

Il m'interrompit :

– Toi, avec ce museau de souris... tu dois être le *Chevalier avec Peur et Reproche*, hein ? Eh bien, prépare-toi à tâter de mes prisons.

Puis il hurla :

– Au **TROU** !

Je l'interrompis :

– Monsieur Capitan, pour commencer, je suis le *Chevalier sans Peur et sans Reproche,* et puis laissez-moi au moins vous expliquer, nous avons une mission urgente à remplir et…

Il tapa du pied.

– Assez de bavardage !

Aussitôt, cent pattes velues se saisirent de nous, cent tentacules visqueux nous emprisonnèrent et cent bras de granit nous jetèrent dans une prison SOMBRE et puante.

C'est là que nous retrouvâmes Alys, blottie dans un coin. Dès qu'elle nous vit, elle bondit sur ses pieds.

– Ton plan n'a pas du tout marché, Robur ! Tu avais dit que Capitan Tempête nous aiderait, mais, dès qu'il m'a vue, il m'a jetée en prison en prétendant que j'étais une espionne ! Heureusement, ma Dragonne Étincelle a réussi à se sauver !

Robur eut un sourire mystérieux.

– Attends donc avant de juger, jeune fille au tempérament aussi ARDENT que le souffle d'un Dragon !

Ne vous disputez pas !

Il baissa la voix :
– Le capitaine est connu dans tout le royaume de la Fantaisie pour sa FÉROCITÉ, mais il est loyal : il n'oublie jamais un service qu'on lui a rendu.
– *Tu parles d'une loyauté !* soupira Alys, agacée.
Puis elle tourna le dos à Robur et ne parla plus.
Robur se tourna de l'autre côté, **BOUDEUR**.
J'essayai de les réconcilier :
– Ne vous disputez pas, mes amis !
Tom Un, lui aussi, voulut essayer et commença à feuilleter ses pages.
– Voulez-vous que je vous donne la définition de « dispute » dans le dictionnaire ? Voici : « Bagarre inutile qui ne sert à rien et ne résout aucun problème… »
Mais eux, chacun dans son coin, ils se contentèrent de hausser les épaules.
Décidément, nous étions dans de beaux draps.
Nous étions prisonniers et nous n'étions plus d'accord entre nous : comment allions-nous pouvoir mener notre mission à bien ?

# NE PAS SE FIER AUX APPARENCES…

Le lendemain matin, deux poulpants vinrent nous chercher, en nous emprisonnant dans leurs tentacules BAVEUX. Ils avaient tant de tentacules que, à deux, ils parvinrent à nous LIGOTER et à nous transporter tous !

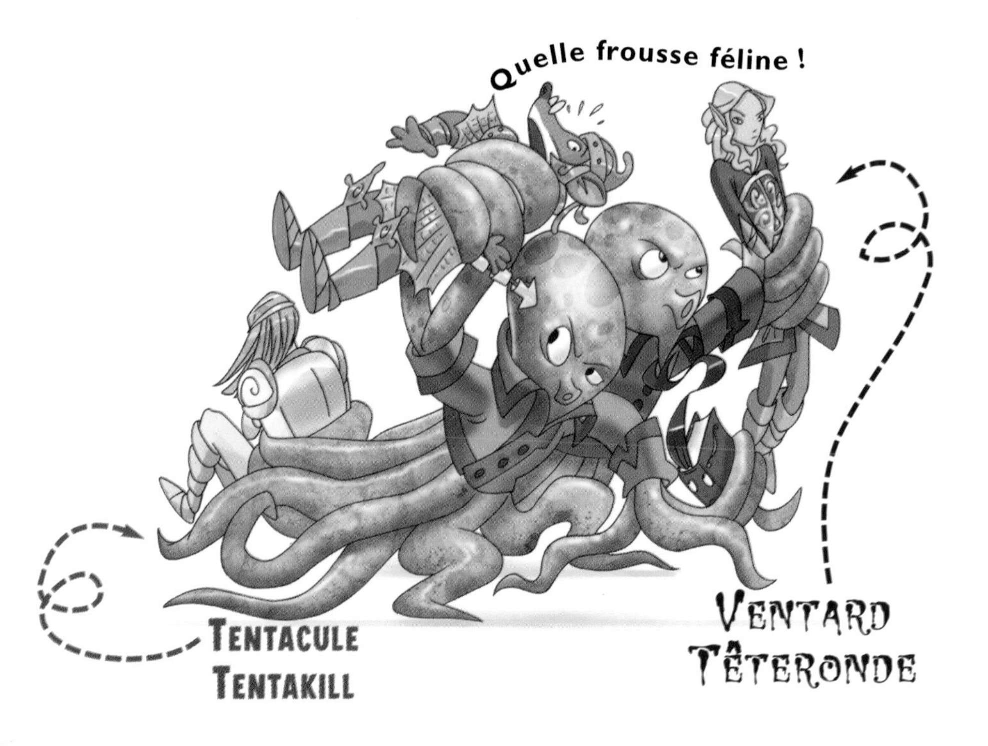

Ils nous conduisirent dans la cabine de Capitan Tempête pour un interrogatoire.

## QUELLE FROUSSE FÉLINE !

Les poulpants ouvrirent la porte et nous poussèrent à l'intérieur de la pièce, menaçants.
– Maintenant, vous allez avoir affaire au capitaine, sales espions ! Vous allez vous repentir d'avoir fourré le nez dans ses affaires !
Le capitaine nous accueillit en hurlant :
– Bravo, mes fidèles Tentacule et Ventard ! Dorénavant, c'est moi qui m'occupe de ces espions !
Les poulpants sortirent en ricanant, et je ne doutai pas que le capitaine allait avoir recours à la manière forte. J'avais les moustaches qui tremblaient de frousse ! Robur se plaça devant Alys, prêt à la défendre, et j'embrassai Tom Un. Capitan Tempête fit claquer son FOUET et je fermai les yeux en frissonnant, mais, étrangement, il ne se passa rien. Alors, stupéfait, j'ouvris les yeux

pour comprendre et ce que je vis me laissa sans voix…

Le capitaine commença par vérifier, sur le seuil de la cabine, que personne ne nous ÉPIAIT, puis il remonta un vieux gramophone dont sortirent des hurlements effroyables, qui rappelaient la bande-son d'un film d'HORREUR.

Puis il nous sourit et s'exclama :

– Parfait, nous pouvons parler, maintenant, installez-vous, je vous en prie !

Il pressa un BOUTON dissimulé sous son bureau. Nous entendîmes un bourdonnement…

Soudain, par un mécanisme secret, de confortables fauteuils **rembourrés** sortirent du plancher. Un autre bourdonnement, et au centre de la cabine surgit une table basse, recouverte d'une nappe de lin, sur laquelle étaient posés de délicieux petits gâteaux. Miam !

Il y avait également une

en porcelaine et des tasses, une pour chacun de nous.
Capitan Tempête éclata de rire.
– Ne faites pas cette tête de poisson bouilli. Je vais tout vous expliquer… Vous savez, j'ai une réputation à défendre ! Tout le monde croit que je suis MÉCHANT, CRUEL, SANS PITIÉ… et tout le monde doit continuer à le croire ! Vous ne trahirez pas mon secret, n'est-ce pas ?

Quand nous eûmes promis de ne rien révéler, il poursuivit :

– Laissez-moi vous raconter mon étrange étrange étrange histoire. Je suis né dans une famille de **PIRATES** : mon père était un *pirate*, mon grand-père était un *pirate*, mon arrière-grand-père était un *pirate*, mais ma maman aussi était une *pirate* et même mes petits frères et mes petites sœurs étaient de petits *pirates*… mais moi, hélas, depuis tout petit, j'ai toujours eu le **CŒUR** tendre, trop tendre pour être **PIRATE**.

Il éclata en sanglots.

– Ah, ma vie, quelle tragédie ! J'ai dû faire *semblant* d'être méchant, pour sauver la face, et c'est en cachette seulement, quand je suis avec des amis (comme en ce moment) que je peux être moi-même.

Il insista :

– Vous ne direz rien à personne, hein ? Sinon, mes **MONSTRES** ne m'obéiraient plus et je me retrouverais au chômage.

Puis il soupira :

# Capitan Tempête

Capitan Tempête est issu d'une ancienne famille de cruels pirates ; pour ne pas déshonorer ses parents, il doit faire semblant d'être sans pitié, mais, en réalité, il a le cœur aussi tendre qu'un camembert !

Il voyage sur un navire volant, baptisé *L'Ancre de Bronze*. Son équipage est composé de terribles et effrayants monstres qui le croient très méchant. Ils voguent ensemble dans les cieux, pour capturer des éclairs.

Capitan Tempête mène son bateau dans les endroits du royaume de la Fantaisie où il n'a pas plu depuis longtemps, et, là, déclenche des tempêtes, pour apporter de l'eau où il en manque… mais ne le dites à personne, cela doit rester secret !

– Ça m'a fait plaisir de bavarder avec vous, mais, à présent, je dois y aller. À trente milles d'ici, il y a une île où il ne pleut jamais. Les habitants, les pauvres, ont besoin d'un peu de pluie, parce que leurs champs sont arides et qu'il n'y pousse plus rien…

Robur parla en notre nom à tous :

– Mon ami, ne t'inquiète pas, avec nous, ton **SECRET** sera bien gardé. Mais toi, pourrais-tu nous aider dans notre mission ?

Le pirate se nettoya les moustaches, pleines de miettes de biscuits, puis marmonna, perplexe :

– Hummm, et en quoi consiste donc votre **MISSION** ?

Tom Un expliqua :

– Pour être *précis*, je *préciserai*, pour la *précision*, que notre mission est *précisément* : éteindre le grand bûcher que les Gnomes de feu ont allumé au cœur du **VOLCAN DE FEU**.

Alys ajouta :

– Nous pensons que ce sont eux qui sont responsables des tremblements de terre et qui ont enlevé Gaïa, la sœur de Floridiana del Flor, la reine des Fées ! Nous savons qu'elle a été emmenée dans la région.

Le capitaine **entortilla** ses moustaches autour de son doigt.

– Hummm, je vous aiderai volontiers : je ne refuse jamais de rendre service à un ami !

Robur lança un regard de triomphe à Alys, comme pour dire : « Alors ? Qui avait raison ? »

Mais elle réagit en soupirant, et en haussant les épaules.

Le capitaine s'exclama :

– Je vais positionner mon navire juste au-dessus du volcan de Feu et je déchaînerai une

TEMPÊTE, pour que la pluie éteigne les feux !
Robur approuva :
– C'est une excellente idée, mais, si nous déclenchons une tempête sur le volcan, ne risquons-nous pas de mettre en danger la princesse Gaïa ?
Capitan Tempête secoua la tête.
– Oh non, Gaïa n'est pas prisonnière dans le volcan.
Alys demanda, incrédule :
– Comment pouvez-vous en être sûr, Capitan Tempête ?
– Une nuit, j'étais sur le pont à scruter l'horizon et j'ai vu des silhouettes LOUCHES qui enlevaient une jeune fille. Ils la conduisaient vers l'ouest, bien au-delà du volcan. J'aurais voulu l'aider, mais mon bateau ne pouvait pas avancer : il n'y avait pas de VENT !
J'ajoutai :
– Peut-être avez-vous raison, capitaine, mais je préférerais en être certain. Durant la tempête, nous profiterons de la CONFUSION pour descendre vérifier dans le volcan. Si Gaïa n'est pas là, nous la chercherons ailleurs.

Comme nous étions tous d'accord sur le plan à suivre, le capitaine se leva, après nous avoir prévenus :

– Je vais redevenir le TERRIBLE Capitan Tempête : je vais hurler, je vais brailler et faire semblant de vous maltraiter, et vous, vous ferez semblant d'avoir peur de moi, d'accord ? J'ai été clair ?

Il pressa de nouveau le bouton et tout disparut dans un bourdonnement : les fauteuils, la table, les gâteaux et la théière, puis il arrêta le gramophone qui, pendant tout ce temps, n'avait cessé de pousser des hurlements terrifiants. Enfin, il ouvrit la porte de la CABINE et tonna, triomphant :

– ÉQUIPAGE, LES PRISONNIERS ONT TOUT AVOUÉ !

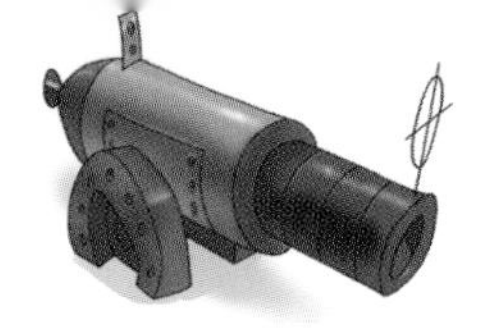

# À L'ABORDAGE !

Aussitôt, les deux poulpants revinrent, nous enveloppèrent dans leurs tentacules **VISQUEUX** et nous entraînèrent sur le pont, où s'était rassemblé tout l'équipage.

Lorsque Capitan Tempête parut, il avait l'air vraiment **MENAÇANT**.

Aussitôt, les monstrueux pirates hurlèrent :

– VIVE LE CAPITAINE ! Honneur à Capitan Tempête, terreur des cieux !

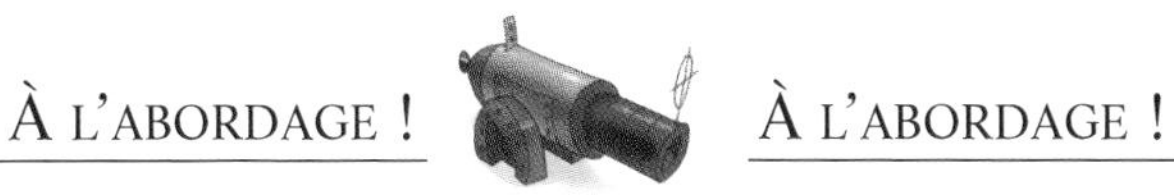



Puis ils entonnèrent une horrible chanson, en secouant leurs pinces et leurs pattes poilues :

NOUS SOMMES MONSTRUEUX
NOTRE CHANT EST AFFREUX
HOURRA POUR CAPITAN
TEMPÊTE, NOTRE COMMANDANT

LA TERREUR DES CIEUX
LES MYSTÈRES PLUVIEUX
AU VENT NOUS LES CRIONS
ET NOUS NOUS ENFUYONS

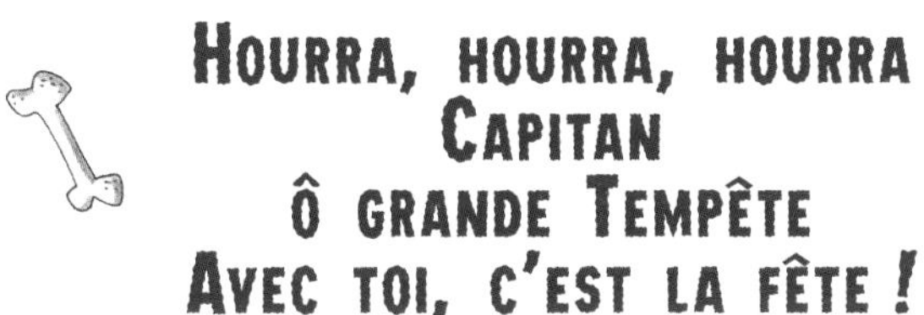

HOURRA, HOURRA, HOURRA
CAPITAN
Ô GRANDE TEMPÊTE
AVEC TOI, C'EST LA FÊTE !

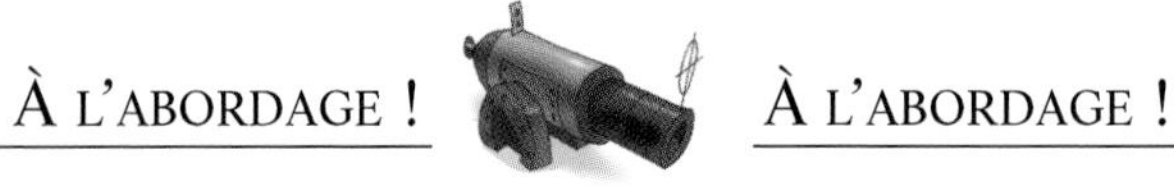
À L'ABORDAGE !

Dès que ces voix terrifiantes se turent, le capitaine gronda :

– **ÉQUIPAAAGE !** Valeureux Tempêtueux ! Vous voyez le volcan en dessous ? Nous allons déclencher une énorme tempêêêête ! Vous êtes contents ?

Tout l'équipage hurla :

– Ouiiiiiiii ! À l'abordage !

J'avais beau savoir que Capitan Tempête faisait seulement *semblant* d'être méchant, j'avais quand même peur...

Tom Un était BLÊME et tremblait.

– Mes lignes se confondent, je sens que mon encre pâlit, je crois que je vais m'évanouir...

En effet, il tomba à la renverse en m'écrasant la **queue** !

Dans un grand fracas, toutes les machines à fabriquer des tempêtes se mirent en marche et, aussitôt, déversèrent sur le volcan des seaux de

En avant, à l'abordage !
Oui, capitaine !
out de suite, capitaine !
Bien sûr, capitaine !

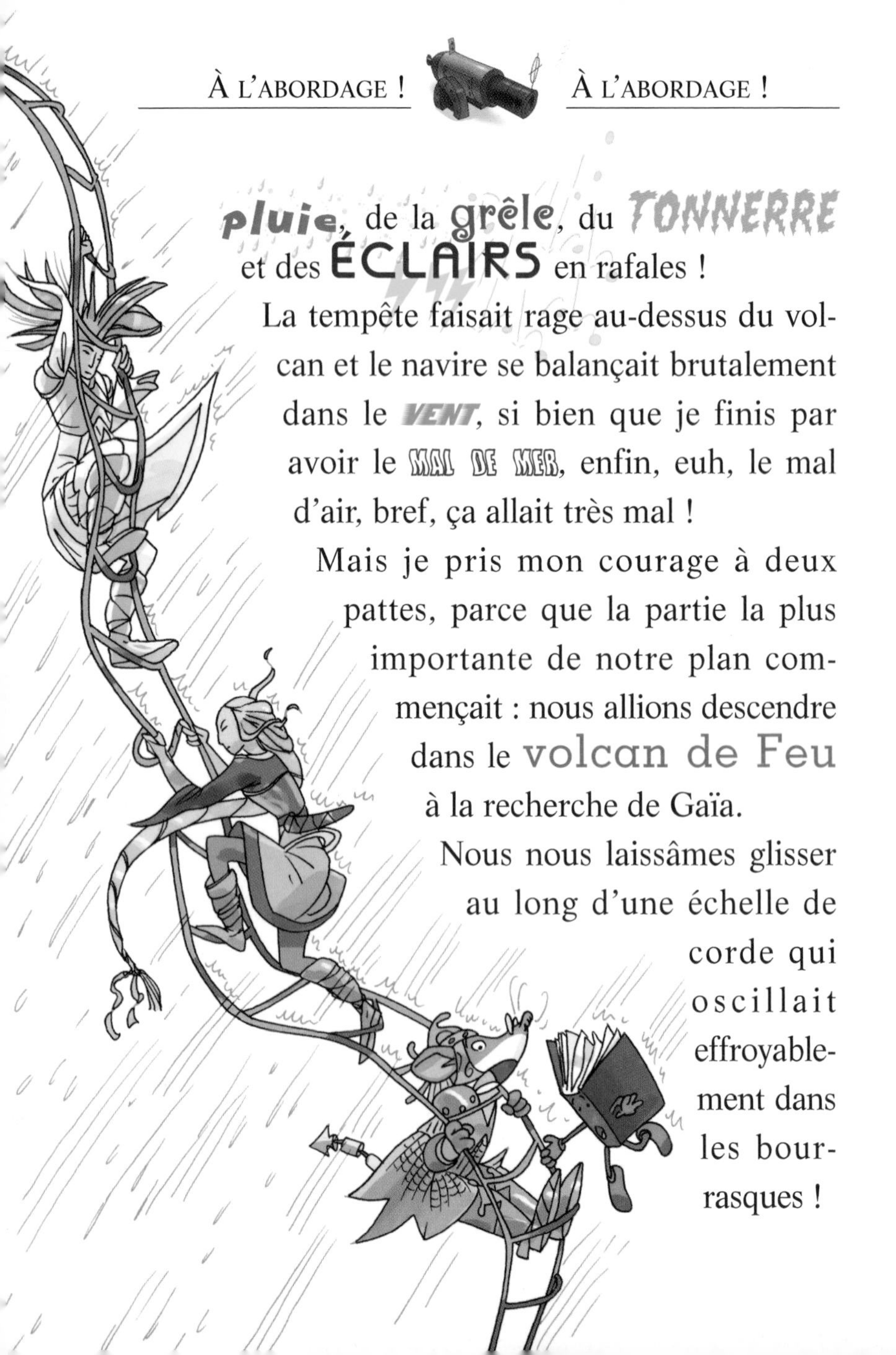

pluie, de la grêle, du TONNERRE et des ÉCLAIRS en rafales !

La tempête faisait rage au-dessus du volcan et le navire se balançait brutalement dans le VENT, si bien que je finis par avoir le MAL DE MER, enfin, euh, le mal d'air, bref, ça allait très mal !

Mais je pris mon courage à deux pattes, parce que la partie la plus importante de notre plan commençait : nous allions descendre dans le volcan de Feu à la recherche de Gaïa.

Nous nous laissâmes glisser au long d'une échelle de corde qui oscillait effroyablement dans les bourrasques !

Enfin, nous nous retrouvâmes tous au bord du cratère. Je me PENCHAI et vis que, en contrebas, dans la gueule du volcan, plus aucun feu ne brûlait : la pluie déchaînée par Capitan Tempête avait fini par l'éteindre.
D'ailleurs, elle avait également fait fuir les Gnomes de feu, qui craignent l'eau : ils s'étaient tous enfoncés dans des galeries SOUTERRAINES secrètes qu'ils étaient seuls à connaître.
Alors seulement *L'Ancre de Bronze* cessa de verser de la pluie sur le volcan et prit de l'altitude, légère comme un zéphyr, disparaissant dans les nuages. Pendant un instant, brilla dans le ciel un merveilleux, un immense

ARC-EN-CIEL

SYMBOLE DE PAIX ENTRE LA TERRE ET LE CIEL !

Nous entreprîmes aussitôt de rechercher Gaïa, descendant au fond du cratère, dans la partie la plus profonde du volcan, mais nous ne trouvâmes

aucune trace d'elle. Peut-être le capitaine avait-il raison, peut-être l'avait-on emmenée plus à l'ouest... Mais *qui* avait fait cela et, surtout, *pourquoi* ?

C'est alors que brusquement le sol vibra : c'était une SECOUSSE de tremblement de terre !

J'étais surpris : maintenant que le feu était éteint et que les Gnomes de feu s'étaient enfuis, pourquoi la terre TREMBLAIT-elle encore ?

Pendant que je réfléchissais, il y eut une nouvelle secousse et une crevasse s'ouvrit devant nous.

Robur et Alys furent précipités vers ce TROU sombre et allaient y tomber. Aussitôt, je désirai les sauver et m'écriai :

MÉDAILLON, À TOI DE JOUER !

Un RAYON de couleur jaune jaillit du médaillon, les entoura comme une corde et les souleva, pour aller les déposer sur le pont du bateau.

Mais, une seconde plus tard, un caillou me tomba sur le crâne, et je m'ÉVANOUIS.

À PARTIR DE CE MOMENT,

NOIR... NOIR... NOIR...

NOIR... NOIR... NOIR...

NOIR... NOIR... NOIR...

NOIR... NOIR... NOIR...

NE VIS PLUS RIEN ! TOUT ÉTAIT NOIR... NOIR... NOIR... NOIR... NOIR... NOIR... NOI

IR... NOIR... NOIR... NOIR... NOIR... NOIR... NOIR... N

... NOIR... NOIR... NOIR... NOIR... NOIR... NOIR... NOIR...

OIR... NOIR... NOIR... NOIR... NOIR... NOIR... NOIR... NOIR...

NOIR... NOIR... NOIR... NOIR... NOIR... NOIR... NOIR...

Soudain, il me sembla que je me trouvais à l'intérieur d'une **GALERIE**. Au bout, je crus apercevoir une merveilleuse lumière bleutée et j'essayai désespérément de l'atteindre...
Lorsque, enfin, j'arrivai au bout, j'ouvris les yeux et... me réveillai !
Je regardai autour de moi : je me trouvais dans une salle de cristal bleu, allongé sur un **lit bleu**, couvert de doux **draps bleus**.
Où pouvais-je bien être ?
Je me mis à la FENÊTRE BLEUE et compris...

J'étais à Bleubourg, la ville des **Licornes bleues !**

La ville
des Licornes
bleues !

1
2
3
4
6

BIENVENUE DANS LA CAPITALE DES LICORNES BLEUES !
Le royaume aux mille fontaines enchantées !
1. Pré d'Herbesucre
2. Pont rêveur
3. Fontaine de la Paix
4. Palais royal de Ceruleus
5. Fontaine de la Sérénité
6. Cascade Sautenbleue
7. Cascatelle Chanterelle
8. Saphirs royaux
9. Lac Bleuciel
5
7
8
9

# BIENVENUE, CHEVALIER !

J'admirais l'incroyable panorama de Bleubourg, la capitale des Licornes bleues, quand la porte de ma chambre s'OUVRIT, livrant passage à mes amis : Robur, Alys, Tom Un et Capitan Tempête.

Ils se jetèrent sur moi et m'embrassèrent, tout heureux.



– HOURRA !

– Enfin, vous êtes réveillé, Chevalier !

– Je m'inquiétais…

– FOUDRE et TONNERRE ! Chevalier, il était temps que vous ouvriez les yeux, grand paresseux !

C'est si bon de vous revoir, mes amis !

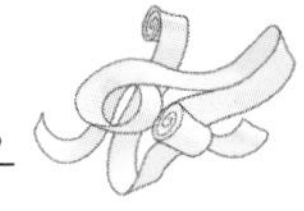

Dès que je pus parler, je demandai :

– Que s'est-il passé ? Comment suis-je arrivé ici ?

Alys dit :

– Vous ne vous souvenez pas ? Je vais donc tout vous raconter depuis le début ! Pendant la tempête sur le volcan de Feu, Robur et moi allions tomber dans une CREVASSE, mais vous nous avez sauvés grâce au médaillon de Gaïa !

Je regardai le médaillon : c'était vrai, il y avait désormais TROIS pierres grises, car j'avais déjà formulé trois vœux.

Ouille ouille !

Tom Un poursuivit :

– Chevalier, vous avez été un HÉROS ! Avec un H majuscule et un point d'exclamation !

Je me grattai la tête, perplexe.

– Bah, si vous le dites… je ne me souviens plus de rien.

Robur me sourit :

– Pour nous sauver, c'est toi qui es TOMBÉ dans la crevasse, tu t'es cogné la tête et tu es resté évanoui pendant trois jours et trois nuits !

# VOILÀ CE QUI S'EST PASSÉ APRÈS QUE JE ME SUIS ÉVANOUI...

J'étais tombé dans la crevasse et je m'étais cogné le crâne !

Capitan Tempête avait lancé un grappin...

... et m'avait rattrapé par la queue !

Puis on m'avait transporté à Bleubourg !

Capitan Tempête ajouta :

– Oui, nous avons eu beaucoup de mal à vous sortir de la crevasse, Chevalier ! J'ai dû lancer un GRAPPIN pour vous repêcher. À propos... euh, excusez-moi, j'ai peur de vous avoir esquinté la queue...

Je me retournai et découvris que j'avais un BANDAGE sur la queue...

Inquiet, je me dirigeai vers un miroir et me regardai : ma tête et mes oreilles aussi étaient bandées ! On aurait dit une MOMIE !

Alys ajouta :
– Après vous avoir repêché, nous vous avons transporté ici sur *L'Ancre de Bronze* : les Licornes bleues sont les guérisseuses de tout le royaume de la Fantaisie !
Tom Un s'approcha et avoua :
– Et le meilleur de tous, c'est le roi des Licornes : c'est lui, personnellement, qui vous a soigné... Quel HONNEUR !
À cet instant précis entra dans ma chambre Vifargent, une Licorne de la cour, qui annonça :

– Chevalier,
le roi Ceruleus vous attend
dans ses appartements.

# Au secours, je me suis auto-momifié !

Mes amis quittèrent la chambre et je commençai à me préparer pour aller rencontrer le roi des Licornes.
Tom Un resta avec moi, pour m'expliquer tout ce qu'il savait sur les COUTUMES des Licornes et sur le *protocole* de la cour.
Il fouilla dans ses pages, puis étala devant moi celle qui était consacrée aux Licornes bleues, s'exclamant, triomphant :
– Voici, Chevalier, lisez ! Cela vous instruira. Ah, si je n'étais pas là…
Je tenais à faire bonne figure devant le roi : je me lavai, me **coiffai** et ASTIQUAI mon armure jusqu'à ce qu'elle brille. Mais, quand j'essayai de la remettre, ma queue se coinça : j'étais couvert de bandages ! Je n'avais donc

Voici, lisez !

# ROI CERULEUS DES AILÉS

Le roi Ceruleus, sire des Licornes, de la noble dynastie des Ailés, seigneur des Alizés et Gardien des Grands Saphirs bleus, règne avec sagesse sur le comté des Licornes bleues. Il est dépositaire du précieux secret des Licornes : leurs fontaines, qui peuvent guérir toutes les blessures du corps ou du cœur. Le royaume des Licornes n'a pas encore de reine : le roi Ceruleus attend de rencontrer la princesse des Licornes à qui il donnera son cœur. En signe de respect envers leur souverain bien-aimé, ses sujets se présentent aux audiences royales avec une crinière bien peignée et le poil luisant. Ils s'inclinent trois fois, jusqu'à effleurer le sol, et, en sortant de la salle du Trône, ils marchent à reculons pour ne jamais tourner le dos à Sa Majesté.

pas le choix : soit je me présentais devant le roi en chemise de nuit, soit j'enlevais mon bandage. Mais j'avais peur de me faire **MAL**…

Tom Un proposa de m'aider :

– Je vais enlever votre bandage !

Il saisit une extrémité de la bandelette et se mit à tirer, en **tournant** sur lui-même. En quelques secondes, il se retrouva comme dans un cocon !

– **Au secours, libérez-moi !** Je me suis auto-momifié !

La bandelette était si serrée qu'il me fallut une demi-heure pour le dégager. Oh non, j'allais être

J'essayai d'enfiler mon armure, mais ma queue se coinça…

Alors, Tom Un proposa de m'aider à retirer le bandage…

en retard pour ma rencontre avec le roi ! J'enfilai rapidement mon armure et me PRÉCIPITAI hors de la chambre, mais Tom Un me suivit.

Je protestai :

– Que fais-tu ? Pourquoi me suis-tu ? Pourquoi restes-tu toujours collé à moi comme une MOULE à son rocher ?

– Parce que je veux me documenter ! Je dois prendre des notes ! Si je veux devenir un véritable Livre d'aventures, je ne dois rien rater de ce qui se passe dans cette histoire ! RÉSIGNEZ-vous, Chevalier, je ne vous quitterai plus !

Je lui permis de m'accompagner jusqu'au pavillon royal, mais lui fis promettre qu'il m'attendrait à l'extérieur, sans semer la PAGAILLE.

Il se vexa :

– Je ne suis pas un petit livre tout juste sorti de chez l'imprimeur, moi ! Mes pages sont

jaunies par le temps, je sais comment me comporter, je vous le dis noir sur blanc. Et si cela ne vous suffit pas, je vous le répète en **gras**, en *italique* et même en MAJUSCULES !
Mais, lorsque nous approchâmes du pavillon royal, il me salua et, étrangement, n'insista pas pour entrer avec moi. Savoir ce qu'il pouvait bien **MANIGANCER** ? Je donnai un dernier coup de brosse à mon armure et entrai, me baissant jusqu'à ce que mes moustaches effleurent le sol, comme le prévoyait l'étiquette.
– Merci, Majesté ! Vous m'avez guéri…
**Ceruleus**, le roi des Licornes, répondit :
– Ne me remerciez pas : il était de mon devoir de vous aider, pour que vous puissiez achever votre mission ! C'est pourquoi je vais à présent vous révéler le secret des Licornes bleues…

Mais, à ce moment, on entendit un éternuement derrière un rideau :
– Atchoum !
Je soulevai le rideau et découvris Tom Un !
Il éternua de nouveau.
– Atchoum ! Excusez-moi... j'ai de la POUSSIÈRE entre les pages !
Comme le roi le regardait d'un air sévère, il rougit, puis marmonna :

– Euh, vous n'auriez pas vu par hasard mon marque-page ? Oh, tiens, le voici…
Puis il fit semblant de ramasser quelque chose par terre et repartit en sautillant, comme si de rien n'était.
Dès que Tom Un se fut éloigné, Ceruleus dit :
– Chevalier, suivez-moi, je vais vous montrer le secret des Licornes.
Il sortit du pavillon royal en trottant. J'essayai de rester à sa hauteur, mais il allait trop vite.
– Majesté, pff… attendez-moi…
Je me traînai péniblement derrière lui, traversai

une PRAIRIE où l'herbe était verte, tendre et souple, parsemée de FONTAINES de toutes formes et de toutes tailles.
Dans ma hâte de le rattraper, je heurtai un poteau portant de nombreuses pancartes et je tombai à la renverse dans l'herbe. LA HONTE !
Heureusement, l'herbe faisait un tapis moelleux…
J'essayai frénétiquement de remettre les PANCARTES en place, mais je ne savais comment faire et je dus les replacer au hasard.

# Le secret des Licornes

En remettant les pancartes en place, je remarquai qu'elles avaient des noms vraiment bizarres :
fontaine de la jeunesse,
fontaine du véritable AMOUR,
fontaine du souvenir,
fontaine de l'oubli,
fontaine de la force,
fontaine de la santé,
fontaine du courage,
fontaine de la sagesse,
fontaine de la vérité,
… et bien d'autres dont je ne me souviens plus !
Comment savoir si je les avais toutes remises à la bonne place ? Je n'avais pas le temps de m'attarder : le roi Ceruleus était déjà loin, je devais me DÉPÊCHER !

En garde, Robur !
Alys, prête à parer ?

C'est alors que je vis Robur et Alys qui s'entraînaient.

Je remarquai, admiratif, qu'ils faisaient de l'escrime en équilibre sur l'étroite margelle d'une fontaine de pierre.

Ils évoluaient, rapides et légers, comme dans une danse, attaquant et esquivant les coups, concentrés sur leurs lames.

Lorsque je fus à portée de voix, je criai :

– **Salut, les enfants !**

Surpris, Robur et Alys perdirent leur concentration, se débattirent pour garder l'équilibre en agitant les bras, comme les ailes d'un moulin…

… et tombèrent tous deux dans la fontaine !

Ils restèrent là, trempés, à se regarder dans les yeux… Alys avait rougi et Robur avait un regard étrange, très très très étrange…

Cependant, on sentait dans l'air un étrange et très doux parfum…

# GRATTE ET DÉCOUVRE… LE MYSTÉRIEUX PARFUM

Gratte et
renifle à l'intérieur
de la ligne
pointillée…

Le parfum mystérieux est :
parfum de véritable amour !

– Oups, excusez-moi, je ne voulais pas… murmurai-je.
Puis je poursuivis ma course pour rattraper le roi des Licornes. Il n'avait pas cessé de parler et ne s'était pas aperçu qu'il m'avait distancé.
Quand je rejoignis Ceruleus, j'étais haletant et soufflant comme une locomotive à vapeur.
– Pouf pouf… Voici, majesté, pardonnez-moi, je n'ai pas entendu vos DEUX MILLE derniers mots !
– Pardonnez-moi, Chevalier, j'oublie toujours que vous autres, les rongeurs, vous êtes plus lents que les Licornes. Mais, à présent, je vais vous révéler notre SECRET le plus précieux…
Il baissa la voix :
– Le secret des Licornes bleues, ce sont les FONTAINES dans lesquelles nous puisons l'eau pour nos potions curatives. Chacune d'elles a une propriété particulière : certaines donnent de la force, d'autres du courage, d'autres aident à oublier, d'autres à se souvenir, d'autres permettent de reconnaître le véritable **AMOUR**…

Dans la prairie, vous n'en avez vu qu'une dizaine, mais il y en a plus de mille dans toute la ville. Il faut faire ATTENTION à donner à chacun l'eau qui est adaptée à son cas, en quantité suffisante, sinon, cela peut causer des problèmes.

« Humm… Savoir dans quelle fontaine sont tombés Alys et Robur… » me dis-je.

J'allais en parler au roi, mais il m'invita à le suivre :

– Maintenant, Chevalier, je veux que vous regardiez dans la fontaine de la vérité : il arrive qu'elle fasse voir aux personnes qui en sont dignes des événements cachés. Cela pourrait être utile pour votre mission.

Sur le bassin de pierre était *GRAVÉE* une inscription en alphabet fantaisique :

Réussirez-vous à la traduire* ?

* *Vous trouverez l'alphabet fantaisique page 320.*

Ohh...

Le roi Ceruleus traduisit l'inscription pour moi :
– « Regarde et tu sauras »...
Puis il m'exhorta :
– Courage, Chevalier, regardez dans la fontaine... et vous saurez !
J'hésitai, les moustaches tremblant de frousse.
– Euh, je ne suis pas sûr de vouloir connaître la vérité...
Puis je pris mon courage à deux pattes et me penchai au bord de la fontaine pour observer le MIROIR d'eau. Au début, je ne vis rien, puis, avec sa corne dorée, le roi agita la surface de l'eau, qui se rida en vaguelettes CONCENTRIQUES. Quand l'eau se fut calmée, des images commencèrent à se former. J'écarquillai les yeux, parce que je voyais d'étranges créatures...

# D'ÉTRANGES IMAGES SUR L'EAU

Dans l'eau de la fontaine, je découvris des CRÉATURES aux couleurs de la terre, qui avançaient dans d'obscures galeries en portant de lourds sacs remplis de pierres. Tout autour d'elles montaient des LANGUES de fumée, semblables à un brouillard empoisonné…

Puis tout se TROUBLA et une autre image se forma sur le miroir d'eau...
Je vis une jeune fille ligotée qui se débattait en essayant de se libérer, tandis qu'autour d'elle la terre tremblait...
C'était Gaïa !
Et elle était prisonnière.
Je fis un bond en arrière et m'écriai :
– Gaïa, princesse Gaïa ! 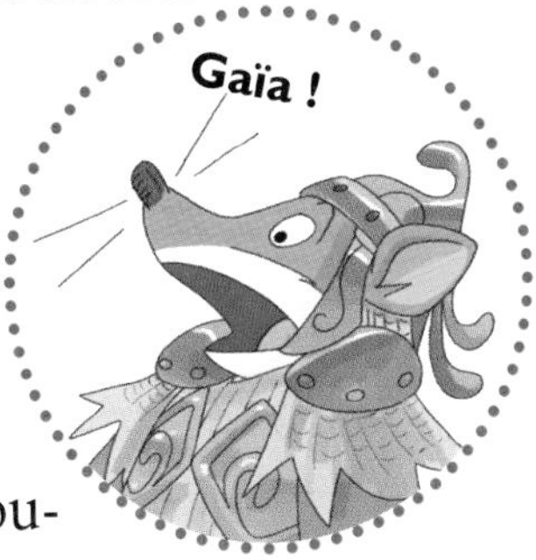
J'avais les larmes aux yeux en découvrant ce triste spectacle.
Nous n'avions pas de temps à perdre : Gaïa paraissait très très FAIBLE, elle semblait presque malade.
Tandis que nous retournions vers le palais royal, je réfléchissais aux terribles images que j'avais vues et mille questions se pressaient dans mon cerveau. Je demandai, angoissé :
– Qui sont ces créatures qui semblent faites de terre et de BOUE ? Sont-elles dangereuses ? Et Gaïa, où est-elle prisonnière ?

Le roi Ceruleus soupira.

– Hélas, je n'ai pas réussi à deviner où la princesse Gaïa était prisonnière, mais j'ai reconnu ces créatures : ce sont les **Terricoles des Abîmes**, un peuple d'habiles mineurs. Ils ne sont pas dangereux, mais sauvages et méfiants. Ils n'aiment que leur travail.

Je murmurai :

– C'est bizarre, ces Terricoles n'avaient pas du tout l'air contents de travailler, ils se traînaient avec peine, tristement…

Ceruleus ajouta :

– En effet, tout ceci est très, très bizarre. Les Terricoles sont célèbres parce que, en travaillant, ils chantent de très belles **chansons**. On dit que leur chant parvient à attendrir les pierres et qu'il les rend plus faciles à travailler.

Je murmurai, découragé :

– Bah, je ne comprends **croûte** à toute cette histoire. Mais, si ce que j'ai vu dans la fontaine est

vrai, Gaïa a besoin qu'on l'aide, et vite ! Il faut partir sur-le-champ !
Ceruleus, prudent, ajouta :
– Le soleil se couche. Attendez jusqu'à demain matin : il est dangereux de voyager la NUIT !
– Vous avez raison, Majesté...
– D'ici là, je vous ferai préparer une escorte, des vêtements et tout ce qu'il vous faut pour le voyage. Et, si vous me permettez, je vous offrirai un banquet d'adieu. Nous DÎNERONS ensemble et ferons des plans pour votre mission.
J'acceptai avec plaisir son invitation et l'équipement qu'il voulait nous offrir : en effet, nous avions tout perdu dans la cascade.
Ceruleus partit au galop pour aller donner des ordres et je le suivis sans me presser, car j'avais besoin de réfléchir. Quand j'arrivai au pavillon ROYAL, le roi m'attendait au bout d'une très belle table décorée...
Je m'aperçus alors que j'avais une FAIM atroce : j'étais resté évanoui pendant trois jours et je

n'avais rien mangé pendant tout ce temps ! En approchant de la table, j'avais l'EAU à la bouche. Mais, lorsque je découvris ce que l'on avait préparé, je fus très très très déçu !

Je n'en croyais pas mes yeux…

Il y avait des écuelles dorées en forme de mangeoires remplies de FOIN parfumé, des pichets pleins d'infusion aux herbes et des assiettes débordantes de **trèfle**. Ceruleus

m'offrit un bol plein d'étranges fleurs d'un bleu intense, à la corolle en forme de verre.

– Je vous en prie, Chevalier, servez-vous ! Ce sont des LISE-RONS BLEUS, la friandise préférée des Licornes, car ils donnent de splendides reflets à notre poil.

Je refusai **poliment** : vraiment, je ne me voyais pas avec le poil bleu, à la mode des Licornes !

Je tiens à mon **pelage**, moi !

Je goûtai le foin dans mon ÉCUELLE *(je devrais peut-être dire dans ma mangeoire !)*, mais il me fut impossible d'avaler cela. Le pire, c'est que les brins d'HERBE se coinçaient entre mes dents : insupportable !

Alys et Capitan Tempête semblaient en difficulté et ruminaient ces brins d'herbe sans parvenir à avaler.

Le seul qui semblait apprécier ce repas à base de foin était Robur : il avait passé tant d'années dans la peau d'un cerf qu'il était habitué à ce genre de nourriture ! Tom Un marmonnait dans sa barbe :

– Pff pff, on ne pourrait pas avoir autre chose à manger ? Pff pff, je ne suis pas un herbier !

Bref, cette nourriture de Licornes n'était vraiment pas faite pour nous !

Sans m'en rendre compte, je me mis à rêver que je grignotais du pain croustillant, que je sentais l'arôme délicat du fromage, le parfum d'une assiette fumante de pâtes au triple roquefort...

# OUPS, UN VŒU M'A ÉCHAPPÉ !

Un rayon de lumière **VERTE** jaillit du médaillon... et un tas de mets délicieux apparurent devant moi !

Le roi Ceruleus me regarda, fâché.

– Vous n'appréciez peut-être pas mon banquet ?

Je *rougis* jusqu'au bout des oreilles et murmurai, confus :

– Oups, un vœu m'a échappé...

*Quel nigaud !*

Sans m'en apercevoir, j'avais utilisé le médaillon, j'avais gâché un vœu et j'avais fait piètre figure devant le roi des Licornes.

Je pensais en moi-même : « Bon sang de bonsoir, comme j'aimerais ne pas l'avoir offensé ! »

Puis je mis mes pattes devant ma ~~BOUCHE~~...

Oups oups !

Oups oups, un autre vœu m'avait échappé...

*Quel nigaud !*

Aussitôt, il y eut un éclair de lumière BLEUE et la nourriture disparut. Je regardai Ceruleus, qui me sourit : il avait oublié que je l'avais offensé ! Hélas, le MÉDAILLON m'avait exaucé deux fois et j'avais donc gâché deux VŒUX... Je vérifiai : cinq des sept pierres étaient devenues **grises**. Il ne me restait que deux possibilités. Je devais faire attention à ne plus rien désirer et à n'utiliser le médaillon qu'en cas de danger !

Après que tout le monde eut terminé de manger *(ou, plutôt, de ruminer)*, chacun se retira dans sa chambre.

Le lendemain, quand le soleil éclaira de ses premiers rayons la terre des Licornes, nous étions déjà prêts à PARTIR.

Ceruleus et les Licornes de la garde royale proposèrent de nous accompagner en volant jusqu'au pays des Terricoles des Abîmes. J'acceptai volontiers leur aide : ainsi, nous irions plus vite et éviterions tremblements de terre et crevasses.

Seul Capitan Tempête renonça : il devait regagner son navire, qui l'attendait à l'ancre dans les jardins de la ville. Je le saluai affectueusement et le remerciai de son aide. Puis je demandai, **inquiet**:

– Qu'allez-vous raconter à votre équipage ? S'ils découvrent que vous nous avez aidés, ils s'apercevront que vous avez le **CŒUR** tendre...

– Ne vous inquiétez pas, Chevalier, j'ai déjà pensé à tout. Je raconterai que j'ai échangé les prisonniers contre les précieuses potions curatives des Licornes.

Et il me montra, satisfait, un coffret rempli d'ampoules colorées.

Ceruleus ajouta :

– J'ai également offert au capitaine une ampoule d'eau de la beauté. Comme ça, si l'un de ses MONSTRES en a assez de sa vie de monstre, il pourra changer de travail !

Je dis au revoir à Capitan Tempête :

– Merci pour tout, capitaine ! Adieu, ou plutôt, **au revoir** !

Puis les Licornes commencèrent à galoper, déployèrent leurs grandes ailes bleues et s'**ENVOLÈRENT**. Nous volâmes à la hauteur des nuages pendant trois jours et trois nuits. Le **JOUR**, le vent nous cinglait le visage, pendant que, tout en bas, nous voyions défiler les pays du royaume de la Fantaisie.

La nuit, nous dormions en enlaçant le cou des Licornes, tandis que, au-dessus de notre tête, brillaient des étoiles toutes proches et limpides : on aurait dit des diamants sur un tapis de velours !

À l'aube du quatrième jour, nous survolâmes une région hérissée de **montagnes** rocheuses.

Par une manœuvre élégante, la patrouille des Licornes plana en formation parfaite jusqu'au pied de la plus haute montagne. Ceruleus nous indiqua l'entrée d'une **GROTTE** :

– Voici l'entrée du royaume des Terricoles. **Bonne chance !**

Puis, aussitôt, il reprit son envol pour rentrer dans son royaume, tandis que je le saluais avec émotion :

–

Le royaume
des Terricoles

1
9
2
5
3
4

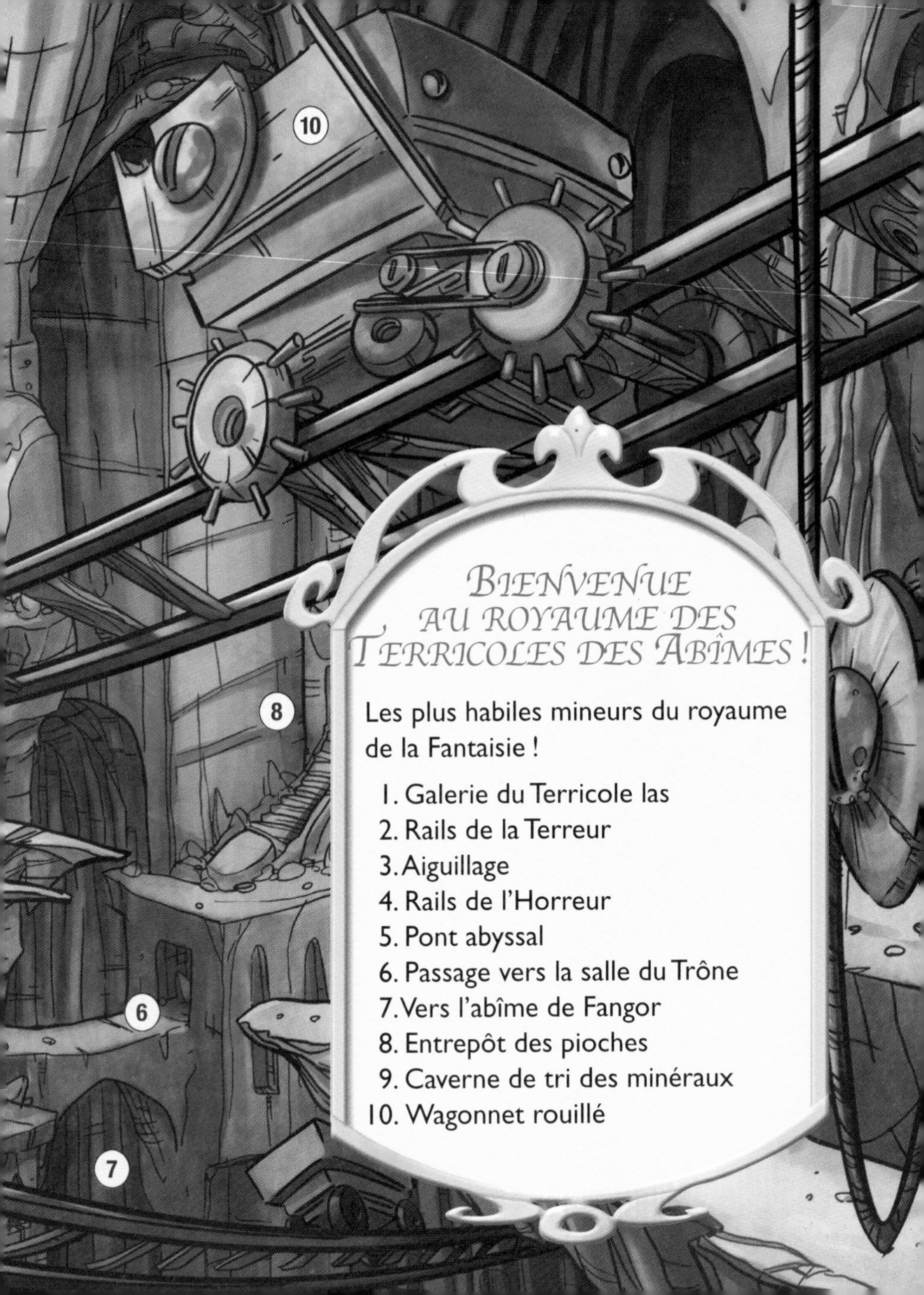

10
8
6
7
BIENVENUE
AU ROYAUME DES
TERRICOLES DES ABÎMES !
Les plus habiles mineurs du royaume
de la Fantaisie !
1. Galerie du Terricole las
2. Rails de la Terreur
3. Aiguillage
4. Rails de l'Horreur
5. Pont abyssal
6. Passage vers la salle du Trône
7. Vers l'abîme de Fangor
8. Entrepôt des pioches
9. Caverne de tri des minéraux
10. Wagonnet rouillé

# PLUS NOIR QUE DANS L'ESTOMAC D'UN CHAT...

La première chose que je remarquai fut que l'entrée du **royaume des Terricoles** n'était pas gardée : je ne vis aucune sentinelle, ni porte ni serrure... Bizarre ! Le roi des Licornes m'avait dit que les Terricoles étaient un peuple renfermé et méfiant : dans ce cas, pourquoi laissaient-ils n'importe qui entrer dans leur royaume ?
Robur, soupçonneux, nous fit signe de nous arrêter.
– Il y a quelque chose qui cloche. Je passe devant, ça pourrait être un **PIÈGE** !
En quelques pas, nous nous enfonçâmes dans une **OBSCURITÉ** totale. Je n'avais pas la moindre idée de l'endroit où nous nous trouvions. Je ne pouvais même plus distinguer la pointe de mes moustaches... Il faisait plus noir que dans le ventre d'un **chat** !

Dans l'obscurité, on entendait des sons étranges : des bruits métalliques, stridents, et le battement rythmique de quelque chose sur la pierre. On percevait également de mystérieux chuchotements qui semblaient venir de partout autour de nous, comme si quelqu'un était en train de nous épier. Nous avançâmes à tâtons, mais, au bout de quelques pas, Alys **trébucha** sur un caillou, Robur se **cogna** le crâne contre le plafond, Tom Un se retrouva **coincé** entre deux pierres, je **dérapai** sur un terrain humide et tombai le museau en avant ! Lorsque je relevai le nez, je découvris devant moi un rocher sur lequel était **ÉCRIT** en alphabet fantaisique :

Réussirez-vous à le traduire ?*

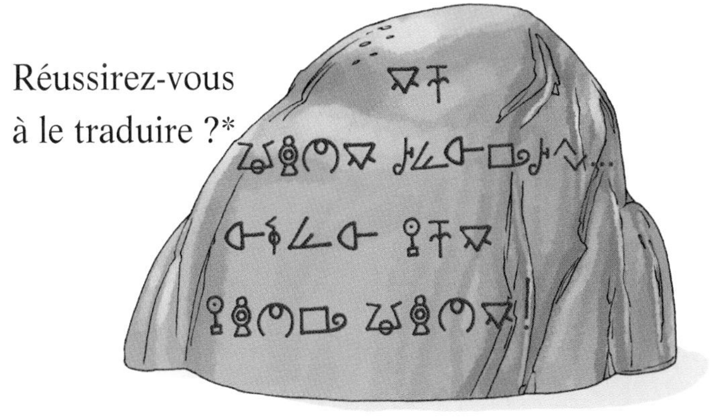

* Vous trouverez l'alphabet fantaisique p. 320.

Il faisait très sombre, mais je suivis les gravures du doigt. Je parvins à DÉCHIFFRER l'inscription.
– Il est écrit : « Si vous entrez… tant pis pour vous ! » Il vaut peut-être mieux laisser tomber.
Je pensais que Tom Un, lui aussi, aurait peur, mais il se mit à battre des mains et à sautiller, tout heureux.
– Génial, je vais vivre une véritable aventure ! Si ça se trouve, on va nous tendre une embuscade dans le noir, nous rencontrerons peut-être des insectes géants et des monstres…
– Tu as oublié les trappes ! ajouta Alys. Quelqu'un pourrait nous faire tomber dedans et nous emprisonner à jamais.
– Il n'y a qu'un moyen pour savoir ce qui se passera, s'exclama Robur : continuer, aller jusqu'au bout !
Robur avait raison : nous devions aller jusqu'au bout, sans penser au DANGER, avec, pour seul but, de libérer Gaïa au plus tôt.
Soudain, je me sentis plus fort.
– Eh bien, continuons ! m'exclamai-je. Mais

d'abord, il serait bon de se procurer un peu de lumière.

Je savais qu'il ne nous restait que deux vœux, mais je n'avais pas le choix. Je pris le médaillon, désirai de toutes mes forces un peu de *lumière* et m'exclamai :

– MÉDAILLON, À TOI DE JOUER !

Le médaillon s'éclaira d'une faible lueur **BLEUTÉE** qui illumina l'intérieur de la grotte. Je pus enfin regarder autour de moi et ce que je découvris me laissa sans voix tant j'étais **STUPÉFAIT**…

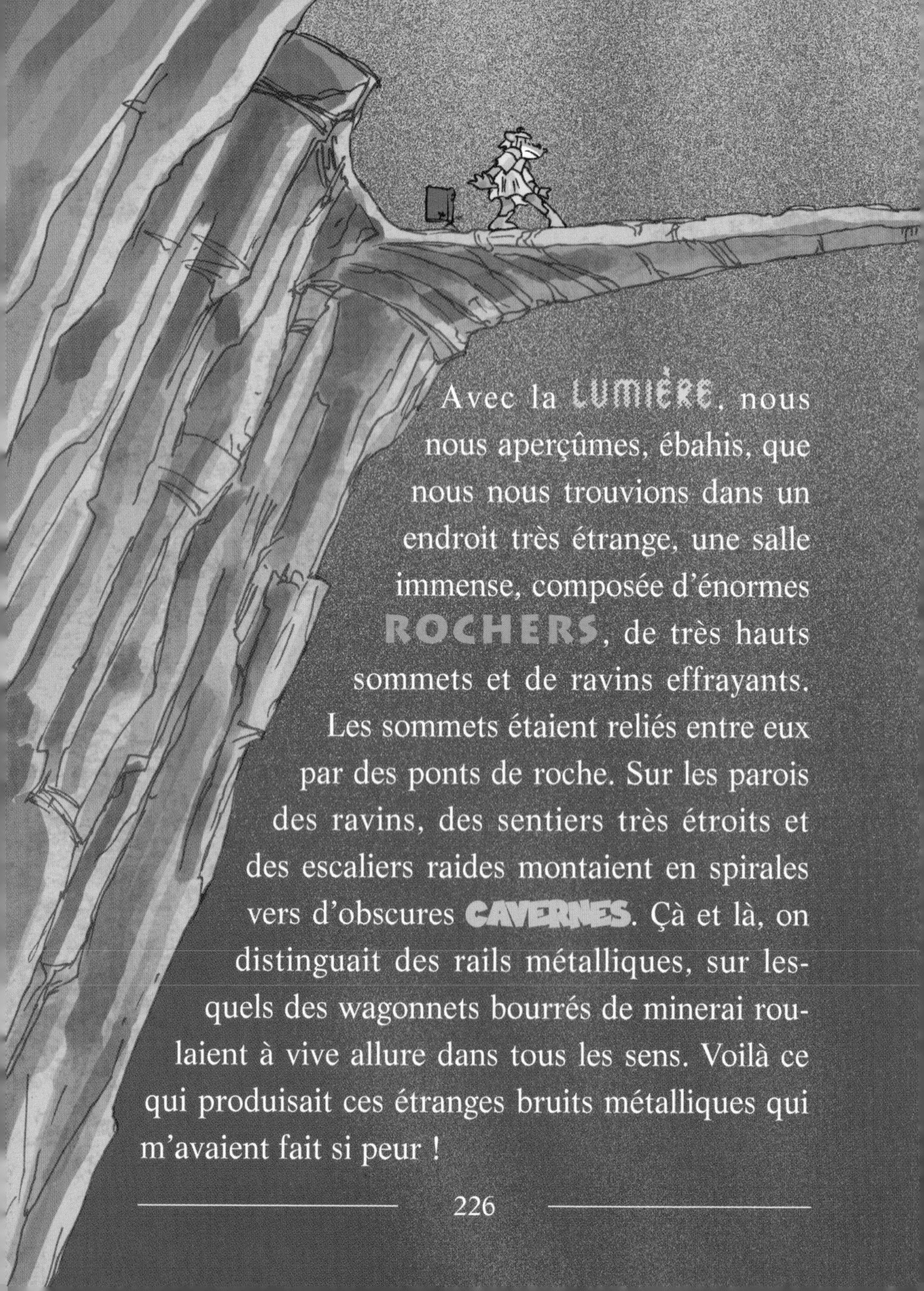

Avec la LUMIÈRE, nous nous aperçûmes, ébahis, que nous nous trouvions dans un endroit très étrange, une salle immense, composée d'énormes ROCHERS, de très hauts sommets et de ravins effrayants. Les sommets étaient reliés entre eux par des ponts de roche. Sur les parois des ravins, des sentiers très étroits et des escaliers raides montaient en spirales vers d'obscures CAVERNES. Çà et là, on distinguait des rails métalliques, sur lesquels des wagonnets bourrés de minerai roulaient à vive allure dans tous les sens. Voilà ce qui produisait ces étranges bruits métalliques qui m'avaient fait si peur !

Hum, personne ne les conduisait, se pouvait-il que ce soient des wagonnets FANTÔMES ?

Alys me tira de mes pensées :

– Chevalier, nous devons nous rendre de l'autre côté.

Tandis que j'observais, inquiet, le petit PONT, Robur tendit la main à Alys.

– Puis-je t'aider ?

Je m'attendais à ce qu'elle réponde fièrement qu'elle allait se débrouiller toute seule, mais elle accepta en souriant l'aide de Robur.

## BIZARRE !

Depuis quelques jours, Robur et Alys paraissaient différents et, fort heureusement, ne se chamaillaient plus. Savoir ce qui s'était passé ?...

# SUSPENDU DANS LE VIDE !

Je m'engageai courageusement sur le petit pont, mais, bientôt, je me rendis compte que j'avais le VIDE à ma droite, le VIDE à ma gauche et que si, par malheur, je glissais, j'irais m'ÉCRASER tout au fond de ce ravin insondable.

J'en eus des sueurs froides…

… puis mes moustaches commencèrent à se tortiller !

Mes genoux s'entrechoquèrent et mes pattes devinrent complètement molles…

Ma tête se mit à TOURNER comme si c'était un manège…

Je m'exclamai :

– *JE N'Y ARRIVERAI PAS, J'AI LE VERTIGE !* Je ne bougerai plus d'un millimètre !

Et je m'allongeai par terre en EMBRASSANT le pont, bien décidé à ne le lâcher sous aucun prétexte.

Mes amis essayaient de me convaincre, mais je ne comprenais même pas ce qu'ils me disaient. Je me plaignais, en pleurnichant :

– Je me suis vraiment fourré dans de beaux draps, on ne peut pas imaginer pire !

Mais il n'y a pas de limite au pire : au même instant, on entendit un **GRONDEMENT** monter du fond du ravin et la terre se mit à trembler… C'était le tremblement de terre le plus fort que j'aie jamais ressenti ! Le pont commença à vibrer de manière effrayante et Alys hurla :

– Vite, courez ! Le pont va s'écrouler !

Aussitôt, j'oubliai mon vertige et je me mis à

COURIR, tandis que le pont s'effritait peu à peu sous nos pas.
En quatre bonds, Robur et Alys se retrouvèrent de l'autre côté et nous encouragèrent :
– **VITE, PLUS VITE !**
Je donnai la patte à Tom Un, qui a les jambes courtes et avait du mal à suivre le rythme.
Devant nous, le pont s'écroula. Je pris Tom Un et le LANÇAI de l'autre côté du ravin, où Robur l'attrapa au vol. Puis je sautai, mais restai suspendu dans le vide, accroché à la roche par une patte !
Autour de moi, la terre continuait de trembler,

Au secouuuurs !

pierres et ROCHERS tombaient dans le vide avec fracas. Je ne pourrais pas tenir longtemps. Encore quelques secondes et je lâcherais prise ! Je pensai : « C'est la fin… »
Soudain, je vis une CORDE dorée osciller près de moi, je la saisis et compris que ce n'était pas une corde : c'était la tresse d'Alys !
Cependant, Tom Un prenait des notes et m'encourageait :
– Courage, Chevalier, vous vous en sortez bien. Cette scène est vraiment aventureuse : je l'écrirai dans mes pages !
Alys m'encourageait, elle aussi, criant de toutes ses forces :
– Vite, Chevalier, attrapez ma tresse ! Nous allons vous remonter !
J'eus à peine le temps d'attraper la tresse d'Alys et de m'en entourer la taille que le rocher s'effrita sous mes doigts !
Je me retrouvai suspendu dans le VIDE, simplement soutenu par la douce et très résistante tresse

d'Alys, qui, à son tour, était maintenue par les bras musclés de Robur.

Puis, au bout d'un moment qui me parut aussi long que toute ma vie, je sentis qu'Alys et Robur étaient en train de me hisser jusqu'en **haut**. J'étais terrorisé… Ils tenaient ma vie entre leurs mains, mais j'avais confiance, je savais qu'ils feraient tout pour me sauver, au péril de leur propre vie !

Une dernière SACCADE et je me retrouvai au sommet. Ouf, il s'en était fallu d'un poil de moustache…

Mais, une seconde plus tard, à cause de…

l'émotion…

je tombai…

dans les…

pommes…

Lorsque je revins à moi, Tom Un était en train de m'ÉVENTER en secouant ses pages.

– Courage, Chevalier, c'est fini…

– Qu'est-ce qui est fini ? Moi ? Je suis mort et enterré ?

– Non, Chevalier, vous vous êtes ÉVANOUI et…

Robur l'interrompit :

– Tu te trompes, ce n'est pas fini, au contraire, ça commence à peine !

ALLEZ, EN ROUTE !

Allez !
En route !

Robur avait raison, notre **MISSION** au royaume des Terricoles commençait à peine !
« Si ça commence comme ça, je me demande comment cela finira... » pensai-je en **FRISSONNANT**.
Puis je me mis vaillamment en route en brandissant le médaillon afin qu'il éclaire mes compagnons. Soudain, le sentier se transforma en un étroit et **SOMBRE** boyau, et je marchai en tête pour éclairer notre troupe, mais le terrain se déroba sous mes pattes. Je glissai, pendant un

temps qui me parut infini, sur un toboggan de pierre...

Je finis par atterrir dans une flaque de boue, puis mes amis me tombèrent dessus l'un après l'autre.

# DANS LA POUBELLE DES TERRICOLES

Nous avions terminé notre chute au fond d'une sorte de puits aux parois **GLUANTES**. Je levai le médaillon pour avoir davantage de lumière et découvris que nous nous trouvions dans la poubelle des Terricoles : nous piétinions dans une gadoue **PUANTE**, mélange de terre pourrie, de vase, de vieilles pioches et d'immondices variées... Tandis que nous tâtions la paroi à la recherche d'une prise pour l'escalader, nous entendîmes brusquement un **DÉCLIC**, puis un bourdonnement, et le plafond commença à s'abaisser.

J'essayai frénétiquement de réfléchir et enfin *(hélas)* compris ce qui se passait.

Nous allions être d'abord écrasés, puis peut-être **BROYÉS** et enfin sans doute recyclés, comme tous les autres déchets de cette poubelle géante !

Tom Un s'agrippa à mon cou, tremblant.

– Au secours, Chevalier, sauvez-moi ! Je ne veux pas être broyé, je ne veux pas qu'on m'envoie au pilon et… qu'on me transforme en papier hygiénique !

– Ne t'inquiète pas, nous te défendrons ! dis-je en essayant de bloquer le plafond à l'aide d'une poutre dressée.

Hélas, la poutre était pourrie et se brisa en mille morceaux. Le plafond était maintenant très bas et allait nous écrabouiller !

Nous avions renoncé à tout espoir, nous étions persuadés que nous allions être écrasés, lorsqu'on entendit un nouveau **DÉCLIC**.

Le plafond cessa de descendre et, lentement, remonta.

Nous nous relevâmes, nous ébrouant pour nous débarrasser de cette **BOUE** puante, puis nous nous embrassâmes.

– **Hourra, nous sommes sauvés !**

Aussitôt, Tom Un prit des notes.
– Saperlipopette, quelle aventure ! Je ne veux pas oublier ça, je vais tout écrire !
Mais, soudain, on entendit un bruit BIZARRE venir de quelque part au-dessus de nous : c'était une sorte de GRONDEMENT gargouillant… Qu'est-ce que ça pouvait bien être ?
Ce bruit me rappelait quelque chose, on aurait dit… ou plutôt c'était… vraiment… de l'eau !
Soudain, une trappe s'ouvrit et un puissant jet d'eau glacial se déversa sur nous ! Nous nous débattîmes pour rester à la surface, pendant que le niveau de l'eau continuait à

MONTER…

MONTER…

MONTER…

MONTER…

Puis on entendit un nouveau DÉCLIC… le fond de notre prison s'ouvrit comme si l'on avait retiré un bouchon et nous tombâmes dans les égouts !

# Voici les notes de Tom Un sur ce qui venait de se passer…

1) Nous nous retrouvâmes dans la poubel géante des Terricoles ! Beurk !

2) Le plafond commença à s'abaisser : nous allions être écrabouillés ! Quelle frousse !

3) Puis un puissant jet d'eau se déversa sur nous ! Quelle aventure !
4) Nous allions être noyés, quand le fond de notre prison s'ouvrit omme si l'on avait retiré un bouchon et nous tombâmes dans les égouts !

# MILLE MONSTROUNETS AUX YEUX JAUNES

Comme j'essayais de rester à la surface de ce nauséabond **liquide** marron, Tom Un grimpa sur ma tête pour ne pas se mouiller, en hurlant :

– Pauvre de moi, mon encre **PÂLIT** !

Puis, pour trouver une solution, il se mit à feuilleter frénétiquement ses **PAGES**, s'ouvrant enfin au chapitre « Égouts ».

Après l'avoir lu, je m'exclamai :

– Bravo, Tom Un ! S'il y a des égouts, cela veut dire qu'il y a aussi... des **toilettes** ! Il suffira de remonter le courant et nous les trouve-

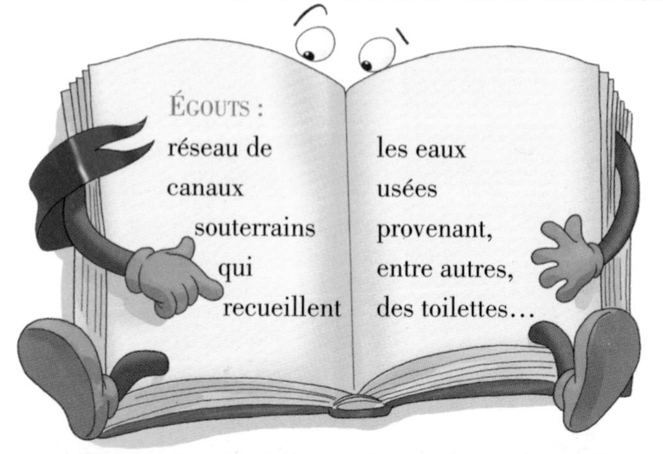

rons. Et peut-être dénicherons-nous aussi les Terricoles… qui pourront nous expliquer ce qui se passe ici !

Nous commençâmes à avancer, nous **traînant** dans ce liquide puant, tandis que mille et mille petits **YEUX** jaunes nous fixaient dans l'obscurité.

Ces petits yeux jaunes appartenaient à d'étranges monstrounets verts couverts d'écailles, qui ressemblaient à de gros lézards affamés. Robur dégaina son épée, Alys encocha une flèche dans

son arc, tandis que je brandissais le MÉDAILLON pour faire de la lumière.

Quant à Tom Un, perché sur ma tête, il criait :

– En avant, mes braves, et plus vite que ça !

Je soupirai.

– Pff… c'est facile à dire, quand on est confortablement installé, bien au sec !

– Chevalier, ce n'est pas ma faute si je suis en PAPIER.

Mes monstrounets déglutirent.

– En papier ? Il est en papier ? Miam ! C'est bon, le papier, on aime le papier ! **MONSTROUNETS, À L'ATTAQUE !**

À ces mots, Tom Un s'évanouit. Alys s'écria :

– Chevalier, mettez-le en lieu sûr pendant que je m'occupe d'infliger une leçon à ces monstrounets CRASSEUX !

– Et moi, je vais lui donner un coup de main ! ajouta Robur en se plaçant à côté d'elle.

J'escaladai une échelle métallique glissante, en prenant garde à ne pas laisser tomber Tom Un dans l'eau.

En avant, mes braves !
En garde !
À l'attaque !
Miam, du papier !

Saperlipopette, qu'est-ce qu'il était lourd !
Heureusement, au moment même où je n'en pouvais plus, j'atteignis une GRILLE. De toutes mes forces, je la soulevai peu à peu et débouchai dans une étrange salle creusée dans le granit noir, avec des sanitaires de marbre gris et un lavabo d'opale semi-transparent. Le miroir était en cristal de roche, les robinets en OR massif ! Je lus une inscription sur le mur : « Cabinets royaux du roi des Terricoles » !
J'entendis alors des voix à l'extérieur : j'entrouvris la porte et jetai un COUP D'ŒIL au-dehors.
Je vis une pièce éclairée par la faible lueur des torches. Elle était remplie de Terricoles de tous âges, qui écoutaient respectueusement un personnage à l'épaisse

**BARBE** rousse, assis sur une haute chaise. C'était le roi : j'étais parvenu jusqu'à la salle du Trône !
Un détail me frappa : tous les Terricoles, et même leur roi, semblaient tristes, fatigués, et portaient des vêtements sales et déchirés.
L'une des personnes présentes fit un pas en avant et s'inclina devant le roi.

Mes chers sujets…

Majesté, faites quelque chose !

– Majesté, il faut faire quelque chose !

Le roi répondit sombrement :

– Mes chers sujets, je ne peux rien faire ! Fangor a jeté en prison les femmes et les enfants, et même mon épouse bien-aimée, Terreaute. Je ne peux pas les mettre en danger. Je dois me résigner à leur donner ce qu'ils veulent : le puantium, ce minerai très rare qui se trouve dans nos mines…

Je me demandai : « *Fangor ?* Mais qui est *Fangor* ? »

Tous murmurèrent :

– Majesté, nous n'en pouvons plus ! Ça suffit, nous ne pouvons pas continuer ainsi !

– Fangor veut toujours plus de puantium !

– Il n'en a jamais assez !

– En plus, depuis que Fangor a enlevé la jeune fille, les tremblements de terre ont commencé ! Il est de plus en plus dangereux de travailler dans les galeries !

Je sursautai : avais-je bien entendu ? Et si cette « jeune fille » était Gaïa ?!

Je me penchai pour mieux entendre, mais c'est à

ce moment précis que Tom Un revint à lui, me sauta au cou en hurlant :

– **CHEVALIER !**

Je perdis l'équilibre, la porte s'ouvrit et je fis un **roulé-boulé** à l'intérieur de la salle du Trône. Je fus capturé dans la seconde, mais, lorsqu'on me traîna devant le roi, je découvris qu'Alys et Robur avaient été capturés eux aussi… Nous étions de nouveau tous ensemble, mais **PRISONNIERS** !

# DU PUANTIUM, DU PUANTIUM ET ENCORE DU PUANTIUM !

– Qui êtes-vous et que faites-vous ici ? demanda le roi d'un ton autoritaire.

Robur répliqua, sévère :

– Je suis **Robur**, le roi des Elfes ! Et jamais je n'ai subi un pareil affront. Ordonne à tes hommes de nous libérer sur-le-champ !

– Je suis Alys, princesse des Dragons d'argent, et jamais de ma vie on ne m'avait humiliée de la sorte.

– Je suis ***Tom Un***, Livre Parlant de la Grande Ampoulerie, premier de douze volumes… et je reste *sans voix*, voilà !

Le roi des Terricoles rougit de confusion sous son épaisse barbe rousse et ordonna qu'on nous détache immédiatement :

– Euh, excusez ! Vous n'avez pas vraiment l'air d'une noble Compagnie de héros, parole de

# Roi Terreux III

Terreux III le Téméraire, seigneur des Boyaux pierreux et des Grottes boueuses, règne sur le peuple des Terricoles des Abîmes avec son épouse, la noble Terreaute des Argileux, descendante de Marbrée la Belle et de Caillou de Grandroc.

Le roi Terreux a été surnommé le Téméraire parce qu'il a défendu son royaume lors de la fameuse invasion des Lombrics géants. Il est également connu pour être le compositeur de quelques-unes des plus belles et des plus célèbres chansons des Terricoles, si émouvantes qu'elles attendrissent les pierres les plus dures.

**Terreux III le Téméraire**, seigneur des Boyaux pierreux et des Grottes boueuses !
En effet, nous étions couverts d'une BOUE puante de la tête aux pieds !
Je pris la parole au nom de tous :
– Majesté, pardonnez-nous d'avoir pénétré dans votre royaume sans permission, mais nous avons une MISSION urgente : nous sommes à la recherche de Gaïa, la Fée de la Terre, qui a été enlevée…
Robur ajouta :
– Et nous recherchons la cause des tremblements

de terre qui dévastent le royaume de la Fantaisie.
Le roi Terreux secoua la tête, DÉSOLÉ.
– Il y a environ une semaine, les monstrounets de Fangor ont enlevé une jeune fille. Personne n'a pu voir son visage : il se pourrait que ce soit Gaïa…
Il soupira, puis poursuivit en baissant les yeux :
– Je voudrais vous aider, mais je ne le peux pas. Fangor a pris en otage toutes nos femmes et tous nos enfants, y compris mon épouse. Je ne peux pas les mettre en DANGER !
Je demandai :
– Euh, *Fangor* ? Mais qui est *Fangor* ?
Mais il continua :
– J'ai dû accepter que mes sujets travaillent pour lui dans les mines de puantium. Fangor n'est intéressé ni par l'or ni par les pierres précieuses. Tout ce qu'il veut, c'est du puantium, du puantium et encore du puantium ! Il n'en a jamais assez ! Et mon peuple est épuisé.
Indigné par cette injustice, je fis un pas en avant et m'exclamai :

– Vous pouvez compter sur mon aide !

– Et sur la mienne ! dirent en chœur Alys et Robur.

– Et sur la mienne aussi ! ajouta Tom Un, en secouant son marque-page d'un air **bravache**.

C'est alors que je me rendis compte que je m'étais lancé dans une entreprise **impossible** : non seulement je voulais sauver Gaïa et arrêter les tremblements de terre *(excusez du peu !)*, mais je venais de m'engager à **libérer** les Terricoles de l'esclavage dans lequel les tenait *Fangor*… sans même savoir qui était *Fangor* !

Comme s'ils avaient lu dans mes pensées, mes **amis** se serrèrent autour de moi. Robur mit

une main sur mon épaule et me parla au nom de tous les autres :

– N'aie pas peur, mon ami.

Puis il s'adressa au reste de la Compagnie, avec un sourire plein de courage et un regard fier.

– Qu'en dites-vous, irons-nous faire connaissance avec ce *Fangor* ?

Alys, qui n'avait jamais reculé face au danger, accepta avec enthousiasme :

– Excellente idée, Robur.

Je notai qu'Alys avait lancé à Robur un regard plein d'admiration et qu'il lui avait répondu avec un SOURIRE de connivence…

Mais Tom Un, lui, s'écria :

– Faire connaissance avec *Fangor* ? Mon encre PÂLIT à cette seule pensée !

Je répétai :

– Mais qui est *Fangor* ?

**L'AMITIÉ**

L'amitié est l'un des biens les plus précieux qui soient !

Avec un ami, on peut être soi-même et partager les joies et les peines de la vie.

Un ami, c'est celui qui t'écoute, celui qui te fait remarquer tes erreurs mais qui ne te juge pas, celui qui, plutôt, te donne des conseils et dont les paroles te réconfortent.

Même dans les difficultés, nous savons que nous pouvons compter sur de vrais amis et, avec eux, affronter l'adversité !

Tous se tournèrent vers moi, stupéfaits.
– Hein ? Tu ne sais pas qui est *Fangor* ?
Je CRIAI :
– Cela fait un petit bout de temps que je dis que je ne sais pas qui est *Fangor* ! Quelqu'un veut bien m'expliquer ?
Le roi des Terricoles posa une main sur mon épaule.
– Chevalier, imagine *quelqu'un*, ou plutôt *quelque chose*, de méchant, d'affreux, de terrible, d'effrayant, de monstrueux, d'impressionnant, d'imprévisible, d'incroyable… Eh bien, voilà, c'est *Fangor*, le Monstre aux Mille Visages.
Je balbutiai, PÂLE comme un camembert :
– Ah, merci, là, au moins, je suis au courant.
– J'ai une IDÉE ! s'exclama le roi Terreux. Vous allez vous déguiser en Terricoles et vous irez travailler dans les mines de puantium, comme ça, vous pourrez ENQUÊTER sans qu'on vous découvre.
Puis il tapa dans ses mains et aussitôt apparurent

deux Terricoles aux longues barbes tressées et aux bras **musclés**.

– Bouillasse, Caillasse, mes fidèles conseillers ! Je vous confie cette **COMPAGNIE DE COURAGEUX** : vous devez faire d'eux de parfaits Terricoles avant demain matin. Pensez-vous pouvoir réussir ?

Ils répondirent en chœur, d'une voix profonde comme un puits sans fond :

– Vous pouvez compter sur nous, Majesté.

Et ils **RICANÈRENT** en se frottant les mains d'une manière inquiétante. Puis ils nous conduisirent dans une autre salle, et notre transformation commença…

# VOICI COMMENT NOUS FÛMES TRANSFORMÉS EN TERRICOLES

1 Pour commencer, afin de nous donner l'aspect des Terricoles, ils nous enduisirent d'une épaisse couche de glaise collante.

2 Puis ils nous salirent les mains et les ongles, en nous obligeant à creuser la terre à mains nues.

3

Ils nous firent mettre des vêtements de Terricoles : tuniques couleur de terre, pantalons couleur de terre, manteaux couleur de terre…

4

Enfin, ils nous camouflèrent sous de longues barbes tressées et nous attribuèrent un nouveau prénom…

Après des heures de « traitement », nous ressemblions à de vrais Terricoles ! Hélas, Bouillasse et Caillasse n'étaient pas encore satisfaits. D'après eux, nous devions savoir utiliser notre **PIOCHE** comme de parfaits mineurs !

Ils nous forcèrent donc à nous entraîner longuement, à briser des cailloux avec les énormes pioches des Terricoles. Après des heures d'entraînement, ils ouvrirent une lourde porte **BLINDÉE** et nous firent entrer dans une grotte obscure, remplie d'un étrange minéral. Puis ils fermèrent la porte derrière nous.

– Et maintenant, voici le plus difficile : vous allez devoir vous habituer à l'odeur du puantium...

Tom Un commença à agiter ses pages pour se faire de l'air, Robur se boucha le nez et Alys attacha un lambeau de son vêtement autour de son visage. Quant à moi, je n'eus pas le temps de faire quoi que ce soit. Je m'évanouis immédiatement !

Il régnait une ODEUR terrible !

GRATTE ET DÉCOUVRE…
LA MYSTÉRIEUSE ODEUR !
Gratte et renifle à l'intérieur de la ligne pointillée…
L'odeur mystérieuse est : odeur de puantium !

# Fangor, le Monstre aux Mille Visages

Le lendemain matin, nous étions prêts à travailler dans la mine. Nous piochâmes toute la journée comme de vrais Terricoles, sans nous évanouir une seule fois à cause de l'odeur, mais, le soir, nous étions épuisés.

Nous nous traînâmes jusqu'à la grotte-dortoir, le dos DOULOUREUX et les mains couvertes d'ampoules. Tout en mangeant un atroce fricot terricole qui

ressemblait à de la boue et avait un goût de terre, nous discutions entre nous. J'étais très **inquiet** à l'idée que, bientôt, je risquais de me trouver nez à nez avec le terrible Fangor.

– Cher Rob... euh, Granit, savoir quelle apparence peut bien avoir Fangor ? Est-il vraiment EFFRAYANT ?

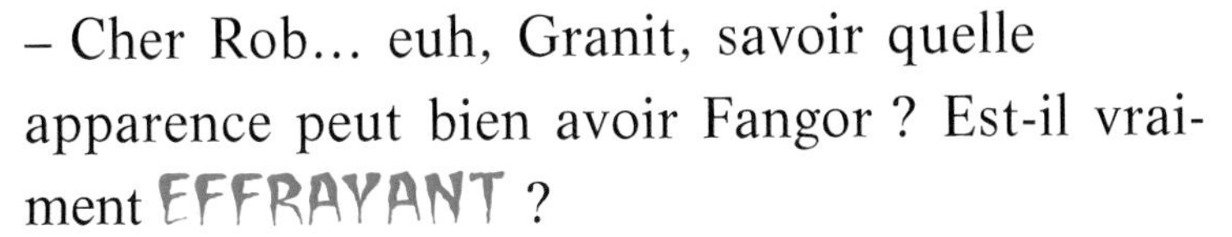

Avant que Robur ait pu ouvrir la bouche, un grand et gros Terricole assis non loin de là me dit en tremblant :

– F-Fangor ? Tu as de la c-chance de ne l'avoir jamais vu ! C'est une énorme ARAI-GNEE qui crache une bave puante et venimeuse...

Les autres Terricoles qui se trouvaient à proximité se mirent à parler tous ensemble.

– *TU TE TROMPES !* Il a des pinces de crabe, une corne de rhinocéros et des cheveux comme des serpents...

– Moi, je l'ai vu de mes yeux : il a des tentacules de pieuvre, des dents AIGUISÉES comme des lames et des ailes de chauve-souris...
– Non, excusez... Il est pâle, TRANSPARENT, on dirait qu'il est fait en fumée... Il porte un manteau noir comme la nuit et il a des yeux de FEU enfoncés dans leur orbite.
Je n'y comprenais plus rien : chacun d'eux décrivait Fangor d'une manière différente !
BIZARRE... Tom Un me murmura à l'oreille :
– Chev... euh, Caillou, j'ai trouvé un chapitre sur les MONSTRES CÉLÈBRES. Lisez, c'est très intéressant...

J'avais à peine fini de lire qu'il me vint une idée.
– HOURRA, J'AI TROUVÉ ! m'écriai-je.
Alys me fit taire :
– Chut, doucement, Chev... enfin, euh, Caillou ! Pourquoi criez-vous ?
– Excusez-moi, Alys, enfin, je voulais dire... Argile ! J'ai peut-être découvert le secret de Fangor : il a mille visages parce qu'il prend l'apparence des plus grandes peurs de chacun. Chacun de nous à des PEURS différentes, et c'est pourquoi Fangor a mille visages différents !
Tom Un demanda, perplexe :
– Alors, si l'on n'avait peur de rien, quel visage prendrait-il ?
– C'est ce que nous devrons découvrir, cher Tom... Gravier ! Qui vient avec moi pour aller le traquer au plus profond des abîmes ?
– Moi ! chuchota Alys.
– Moi aussi ! murmura Robur.
– Et moi aussi, ajouta Tom Un, je ne veux rien rater de cette aventure !

Nous attendîmes que tout le monde soit endormi dans la grotte, puis nous nous éloignâmes sur la pointe des pattes...

Nous nous enfonçâmes en rasant les parois dans des galeries OBSCURES, seulement éclairées par la faible lueur du médaillon de Gaïa. J'avais une FROUSSE terrible : mes moustaches tremblaient, mes genoux s'entrechoquaient, je sentais mon estomac se nouer, mais je savais que, si je voulais découvrir le visage de Fangor, je devais l'affronter SANS PEUR !

Ce n'était pas facile, mais je devais essayer ! C'est ainsi que je tâchais de me rappeler tous les secrets

**LES SECRETS POUR ÊTRE COURAGEUX**

- Le courage n'est pas un instinct, mais une vertu que l'on peut cultiver.
- Affronte tes peurs, c'est la seule façon d'en triompher.
- Quel que soit le problème qui se présente à toi, aborde-le calmement, tu le surmonteras d'autant mieux. Si tu t'agites trop, la situation empirera.
- Si tu as peur, respire avec calme, car, en soufflant, on décharge la tension.
- Plus tu te mets à l'épreuve, plus tu acquiers de courage et d'assurance. Affronter ses peurs de plus en plus souvent ne peut qu'accroître ta confiance en toi-même.
- N'affronte jamais des situations dangereuses simplement pour te faire admirer. Être courageux, cela ne veut pas dire être inconscient !

Allez, vite !

que je connaissais pour être **courageux**. Nous marchâmes en silence, descendant de plus en plus profond, nous approchant de plus en plus du fond de la mine. L'odeur de **puantium** était de plus en plus forte et nous comprîmes que nous étions tout près de Fangor. À un moment donné, nous entendîmes des bruits qui provenaient de l'autre côté d'une paroi rocheuse, et une voix **STRIDENTE** siffla :

– Fangor, mon maître, vous m'avez fait appeler ?

Une voix terrible tonna :

– Quand la prison de puantium dans laquelle nous allons enfermer Gaïa sera-t-elle terminée ? **Je suis pressé !** Gaïa est déjà très faible à cause de l'odeur de puantium, mais cela ne suffit pas : je veux qu'on l'enferme dans une prison construite avec des barreaux de pur puantium, afin que je puisse lui dérober son pouvoir magique ! Alors, je pourrai conquérir le royaume de la Fantaisie ! **OUHAHAHAHA !**

La première voix s'empressa de répondre, tremblante :

– La prison sera bientôt terminée, nous allons

doubler les équipes, nous obligerons les Terricoles à travailler nuit et jour, à extraire encore plus de puantium et à le fondre pour fabriquer les barreaux de la prison et…

Fangor l'interrompit, MENAÇANT :

– Et rappelle-leur que nous avons des otages : leurs femmes, leurs enfants et même la reine Terreaute !

C'est alors que je découvris une fente dans la paroi rocheuse. Je décidai de tenter de regarder de l'autre côté. Alys MONTA sur les épaules de Robur, Tom Un MONTA sur celles d'Alys, et je MONTAI sur Tom Un, pour atteindre la fente et jeter un COUP D'ŒIL. Je découvris une gigantesque caverne obscure. Dans une cage de fer était emprisonnée Gaïa, et dans une autre les femmes et les enfants des Terricoles.

Quel spectacle atroce !

2
6
1

7
3
5
4
1. Trône de Fangor
2. Machine pour voler le pouvoir féerique de Gaïa
3. Grotte du puantium
4. Monstrounets de Fangor
5. Rivière de l'Oubli
6. Cellule en puantium, où est emprisonnée Gaïa
7. Cellule des Terricoles

# LE VÉRITABLE VISAGE DE FANGOR !

Je descendis de mon poste d'observation et, les LARMES aux yeux, racontai à mes amis tout ce que j'avais vu : Gaïa affaiblie, presque transparente... les Terricoles prisonniers... la cellule de puantium... ces étranges câbles qui reliaient le trône à la cellule... le petit cours d'eau qui traversait la GROTTE et qui était la seule voie d'accès...
– Qu'allons-nous faire ? demanda Tom Un, tremblant.
Robur répliqua d'un ton décidé :
– Nous devons retourner dans la grotte et convaincre tous les Terricoles de nous aider. Seuls, nous ne pourrons jamais vaincre Fangor et ses monstrounets. Et puis, seuls les Terricoles savent comment parvenir à la grotte de Fangor. Il semble

que le seul moyen d'y pénétrer soit ce petit COURS D'EAU...

Mes amis **REBROUSSÈRENT** chemin dans la galerie que nous venions de parcourir, afin d'aller prévenir les Terricoles dans la caverne. Je les suivis, mais un peu en retrait, car je réfléchissais à ce que j'avais vu. C'est ainsi que je me **COGNAI** distraitement contre une paroi de la grotte : j'entendis un bourdonnement, un mécanisme se déclencha, la paroi s'**ouvrit** et je roulai en avant, tandis que le mur se refermait d'un coup derrière moi. Épouvanté, je me mis à taper des poings sur la paroi en hurlant :

– **OUVREZ, OUVREZ !**

Mais personne ne m'entendit. Je m'aperçus avec horreur que je me trouvais désormais au fond d'un abîme sombre et puant, et que **QUELQUE CHOSE** bougeait derrière moi.

Une voix féline siffla dans mon dos :
– Retourne-toi, souris, et regarde-moi dans les yeux !

C'ÉTAIT FANGOR !

Tremblant de la pointe de la queue à la pointe des moustaches, je me retournai et découvris… un énorme chat, aux YEUX rouges comme la braise et aux DENTS aiguisées comme des lames, prêt à me dévorer !
QUELLE FROUSSE FÉLINE ! Fangor venait de se transformer en ce qui terrorise le plus une souris : un chat ! Puis je me souvins qu'il ne se nourrissait que de peur… et je m'efforçai de respirer avec calme.

Au bout d'un moment, les battements de mon cœur commencèrent à ralentir, je m'apaisai et parvins à penser à autre chose. Je songeai à mes amis qui avaient confiance en moi, à Gaïa prisonnière, aux pauvres Terricoles…
Alors, je ne sentis plus la peur, mais la force : la force de l'AMOUR, de l'altruisme, de l'amitié !
Je me levai et hurlai :
– FANGOR, JE N'AI PAS PEUR !
Puis je levai le regard et fixai tranquillement les yeux dans ceux, couleur de braise, de Fangor et… c'est alors que je découvris le véritable visage de Fangor !

# Le véritable visage de Fangor !

Fangor descend d'une ancienne famille de monstres : il est le fils du grand Abyssal III et de Ravine VI.
Il est né dans l'obscurité la plus totale et, depuis toujours, vit dans un fossé de boue puante.
Son rêve secret est de devenir humain et c'est pourquoi il veut se procurer le pouvoir féerique de la Fée de la Terre, Gaïa. Fangor semble avoir mille visages parce qu'il prend l'apparence des peurs de chacun. On ne peut découvrir son véritable visage qu'en le regardant sans peur : c'est une montagne de boue informe, avec deux yeux couleur de feu. La seule chose dont Fangor ait peur, c'est l'eau, car elle pourrait le faire fondre.

Je m'en doutais : Fangor n'avait pas de visage !
Il avait simplement deux yeux couleur de braise dans une montagne de BOUE.
Puis ses deux grosses mains me saisirent.
– BLOP! BLOP! Souris, je vais te détruire ! Je ne te laisserai pas aller raconter à tout le monde quelle est ma véritable apparence, alors que je suis sur le point de prendre forme humaine grâce aux pouvoirs de la Fée Gaïa. Ouhahaha !

J'aurais voulu réagir, mais je m'aperçus que j'avais SOMMEIL, TRÈS SOMMEIL, TROP SOMMEIL.
Il me fixa, satisfait.
– Tu as sommeil, n'est-ce pas ? Tu as sommeil sommeil sommeil... très très très très... de plus en plus en plus sommeil...
J'essayai de résister, mais mes paupières se refermèrent et je sombrai dans un sommeil profond, sans rêves.

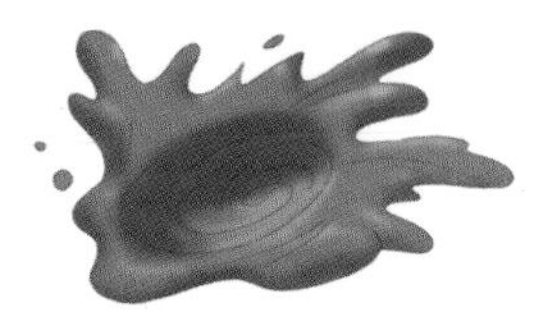

# UNE FIN IMPRÉVUE !

Lorsque je me réveillai, j'étais ATTACHÉ avec de lourdes chaînes, enfermé avec Gaïa dans la prison de puantium. Il régnait là-dedans une ODEUR épouvantable ! La première chose que je remarquai, ce fut que la prison de puantium avait été terminée. Combien de temps avais-je dormi ? Peut-être des jours ! Puis je notai que Gaïa était attachée avec d'épaisses chaînes de puantium aux poignets.

C'est alors que Fangor ouvrit la porte de notre cellule, avec un RICANEMENT cruel.

– À présent, je vais dérober à Gaïa, la Fée de la Terre, son pouvoir féerique. Grâce à ce pouvoir, je prendrai forme humaine, plus personne ne pourra m'arrêter, et le *royaume de la Fantaisie* deviendra mon royaume !

Fangor relia les chaînes que Gaïa portait aux poignets aux accoudoirs de son trône, puis il s'y installa, satisfait.

– Méchante **BOULE DE BOUE**, que vas-tu faire ? m'écriai-je, indigné. Laisse-la tranquille !

– Essaie de m'en empêcher ! Tu ne peux rien... pas plus qu'elle ! Elle n'a même plus la force de se débattre : le puantium affaiblit les Fées ! Au début, elle se **RÉVOLTAIT**, elle secouait ses chaînes si fort que, sans le vouloir, elle provoquait tous

ces tremblements de terre. Elle a bien failli mettre tous mes plans par terre !
Tandis que Fangor parlait, mon cerveau s'était mis à FONCTIONNER à une vitesse vertigineuse.
Telle était donc la raison de tous ces tremblements de terre ! Il fallait que j'agisse, et vite ! J'avais toujours le médaillon, mais comment l'utiliser ? Il ne me restait qu'UN SEUL VŒU, et il était très difficile de choisir ! Devais-je désirer libérer Gaïa tout de suite ? Mais Fangor pourrait la capturer de nouveau... Était-il préférable d'exprimer un autre vœu ? Devais-je désirer que le MÉDAILLON neutralise Fangor à jamais ?

**LES CHOIX DIFFICILES**

Nous nous trouvons parfois devoir affronter des choix difficiles et nous ne savons pas quoi faire. Il peut être utile, alors, de considérer les choses de haut, avec détachement, et de comprendre quel est le problème le plus important à résoudre.
Si nous commençons par cela, tous les autres problèmes se résoudront avec facilité.

Mais, dans ce cas, comment pourrais-je libérer Gaïa qui était de plus en plus faible et risquait de s'ÉVANOUIR d'un moment à l'autre ? Que faire ? Je ne savais vraiment pas quelle décision prendre...

C'est alors qu'on entendit un **bruit** assourdissant provenant de la mine.

**BOUMBARABOUMBARABOUMBOUM...**

On aurait dit un grondement de tonnerre...

Puis, soudain, une énorme quantité d'eau envahit la caverne.

La rivière de l'Oubli **débordait** !

Fangor, terrorisé, courut se réfugier dans un coin de la caverne, en hurlant :

– Non, pas d'eau, non ! Je **déteste** l'eau. Je me vengerai, souris !

En un instant, le niveau d'eau dans la caverne commença à monter monter monter...

Bientôt, j'eus de l'EAU jusqu'au cou ! Très inquiet, je me tournai vers Gaïa et vis qu'elle allait être submergée. Sans réfléchir, je rassemblai toutes mes forces, désirai qu'elle soit sauvée et dis :

– MÉDAILLON, À TOI DE JOUER !

Courage, Ga

Un rayon de très vive lumière VIOLETTE jaillit du médaillon et brisa les chaînes de Gaïa... Puis le rayon violet l'enveloppa dans une boule de lumière, la souleva au-dessus de l'eau et la conduisit en lieu sûr.
Tandis que je me débattais pour ne pas me noyer, je me retournai vers Fangor et vis qu'il était en train de FONDRE dans l'eau !
Quelques minutes plus tard, il ne restait plus de lui qu'une flaque de boue. Puis la rivière de l'Oubli l'emporta dans son courant, jusqu'aux abîmes profonds dont il était sorti, et il n'en resta plus aucune trace !
L'eau avait encore monté, je me débattis en gargouillant, puis je ne vis plus RIEN...

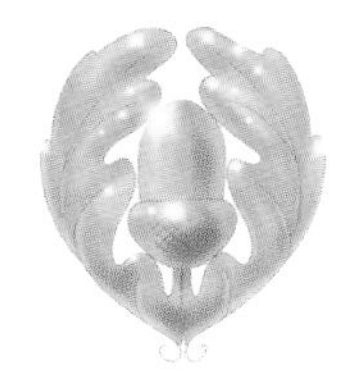

# VIVE LA LIBERTÉ !

Heureusement, le puissant COURANT créé par le débordement de la rivière me projeta vers le haut et la chaîne qui me retenait prisonnier se BRISA. Je nageai jusqu'à la surface. J'étais sauvé ! Je toussai, me frottai les yeux, puis je

m'aperçus que je me trouvais sur un RADEAU, à côté de Robur, d'Alys, de Tom Un et… de Gaïa !
Avec soulagement, je constatai qu'elle était encore FAIBLE, mais qu'elle allait mieux. Je regardai autour de moi : j'étais au milieu d'une flottille d'embarcations bizarres, construites à la hâte à base de tonneaux, de planches, de troncs… Elles étaient arrivées jusqu'à la grotte de Fangor en remontant la rivière de l'Oubli.

Tous les Terricoles avaient pris place à bord de ces bateaux, sous la conduite du roi **Terreux** en personne.
Le roi s'éclaircit la voix et improvisa un discours :
– Mes amis, Fangor ne nous MENACERA plus : il s'est évanoui à jamais dans la rivière de l'Oubli, dispersé dans ses eaux, car, en réalité, ce n'était qu'un monstre de boue, comme le Chevalier nous l'a prouvé.

Tout le monde s'écria :
– **Hourra !**
Puis il s'adressa à moi :
– Quand nous avons su que la *rivière de l'Oubli* était le seul moyen de pénétrer dans la grotte de Fangor, nous avons construit ces embarcations de fortune, puis nous avons abattu la digue qui entravait le cours de la rivière. Le niveau des EAUX a monté d'un coup, la rivière a débordé et nous a conduits jusqu'ici. C'est ainsi que nous avons pu sauver nos femmes et nos enfants prisonniers et, avec eux, ma bien-aimée Terreaute !
Les acclamations fusèrent :
– **Hourra ! Hourra !**

Quand le silence revint, le roi Terreux prit de nouveau la parole, d'une voix grave :
– Mes chers sujets, Fangor est vaincu, mais nos cavernes sont inondées. Nous ne pouvons plus habiter ici, hélas.
Robur dit alors :
– Roi Terreux, je veux vous accueillir au royaume des Elfes et vous donner toute une montagne, riche de minerai et de pierres précieuses. Là, vous pourrez construire un nouveau royaume souterrain, mais…
– Mais… quoi ? demanda le roi **Terreux**, anxieux.
– Mais vous devez me promettre une chose : que vous n'extrairez plus jamais de puantium, parce que ça pue vraiment trop !
Le roi Terreux et tous les Terricoles éclatèrent de **rire** pour la première fois depuis si longtemps.

– Ha ha ha !
– Ha ha ha !
– Ha ha ha !
– Ha ha ha !

Puis, tous ensemble, nous **SUIVÎMES** la rivière de l'Oubli, qui nous conduisit au-dehors des entrailles de la montagne, vers une nouvelle vie, vers de nouvelles aventures !

Tom Un me sauta au cou, m'**ÉTOUFFANT** presque, et cria :

– Chevalier, ça, c'était une aventure ! Maintenant, je vais pouvoir réaliser mon rêve : me transformer en un Livre d'aventures ! Mais d'abord, racontez-moi tout ! Tout tout tout, hein ! Que s'est-il passé dans la grotte ? Hein ? Hein ? Hein ? Allez, racontez-moi tout, je vais prendre des notes !

– Eh bien, mon cher Tom Un, l'eau de la rivière de l'Oubli allait submerger Gaïa ! Alors j'ai eu recours au MÉDAILLON pour la libérer…

J'effleurai avec respect le médaillon, en repensant à toutes les fois où il m'avait aidé, et c'est alors seulement que je me souvins que je devais le rendre à sa légitime propriétaire : *Gaïa*…

Je me tournai vers elle et le lui tendis avec un sourire, en murmurant :

– À propos, ceci vous appartient, charmante Fée !

Gaïa SOURIT.

– Merci, Chevalier, il est vraiment précieux pour moi !

Puis elle mit le médaillon autour de son cou et, aussitôt, retrouva toutes ses forces.

# VERS LE ROYAUME DES ELFES...

Nous naviguâmes pendant de nombreux jours, en suivant la rivière de l'Oubli, puis, enfin, une nuit, nous trouvâmes le fleuve Scintillant. Robur le reconnut aussitôt, c'est un fleuve qui traverse le royaume des Elfes !
À force de ramer, nous le remontâmes jusqu'au lac de la Sérénité et nous arrivâmes au cœur du royaume des Elfes.

Le lac de la Sérénité brillait sous la lueur argentée de la LUNE et, autour de nous, on ne voyait plus trace des dévastations dues aux tremblements de terre. Laowyn et les Elfes avaient fait du beau travail !

Parvenus au centre du lac, nous entendîmes une musique jouée par des flûtes d'argent et mille flambeaux s'allumèrent aussitôt, illuminant les eaux paisibles.
Nous entendîmes un mélodieux chant de bienvenue... Laowyn avait organisé pour nous une fête surprise, un accueil digne de héros !
Tout le monde nous acclamait sur notre passage, car le bruit de nos exploits, c'est-à-dire notre victoire sur Fangor et la libération de Gaïa et du peuple des Terricoles, s'était déjà répandu...
Ému, je vis que tous nos amis les plus chers et que tous ceux qui nous avaient aidés dans cette grande AVENTURE nous attendaient. Mon cœur et celui de mes compagnons se remplirent d'une immense joie !
Dès que nous eûmes débarqué, Laowyn vint à notre rencontre. Elle se précipita pour embrasser ses amis Alys et Gaïa, puis elle tapa dans ses mains et un Elfe à l'uniforme blanc nous apporta une clef dorée sur un coussin rouge.

Laowyn la prit et la tendit à son frère Robur, le roi des Elfes, avec une gracieuse révérence.
– Majesté, je vous remets la clef du royaume, sur laquelle j'ai veillé avec soin et dévouement. Avec l'AIDE de tout le monde, j'ai planté de nouveaux ARBRES, rebouché les crevasses, construit des canaux pour assécher les terrains inondés, nous avons fait rentrer les fleuves dans leur lit… Bref, tout est à sa place.
Puis elle lui sauta au cou, lui imprima un bisou sur la joue et s'exclama :

– Bienvenue, grand frère !
Robur prit la clef en souriant, puis déclara solennellement :
– Merci, Laowyn. Tu as gouverné avec sagesse. À partir de ce jour, le peuple des Elfes sera guidé par Robur et Laowyn, *côte à côte* !
Puis Robur se tourna vers moi, me tendant la clef d'or du royaume.
– Quant à cette clef, je veux la donner à un rongeur **particulier**, qui est accouru pour nous secourir et qui a affronté mille dangers pour nous

aider. Chevalier, notre royaume, nos maisons et nos **CŒURS** seront toujours grands ouverts pour toi !

Je l'acceptai, ému, puis Robur et Laowyn donnèrent le signal de la FÊTE. Ce fut la plus belle de ma vie, parce qu'elle rassemblait tous mes amis du royaume de la Fantaisie et tous ceux qui nous avaient aidés dans cette fabuleuse aventure. Il y avait ***Stylou de Trombone*** (qui, pour l'occasion, fit la paix avec Robur) et tous les **SAGES** du Grand Conseil Ampouleux.

De même que les onze frères de Tom Un et d'innombrables LIVRES de la Bibliothèque Parlante, qui n'en finissaient pas de bavarder.

Il y avait Capitan Tempête et son équipage de monstres, qui lancèrent une série de coups de tonnerre et d'éclairs en notre honneur !

Il y avait **Ceruleus**, le roi des Licornes, et sa cour qui piaffaient, hennissaient et secouaient leurs crinières en signe de salut.

Il y avait Fritillaire et Boletus, le roi et la reine des GNOMES, et mon cher ami *Scribouillardus* !

Floridiana et Suavius

Roi Ceruleus

Fritillaire et Boletus

Scribouillardus

Et il y avait Floridiana, la reine des Fées, avec Suavius, son époux, qui étaient venus nous remercier et embrasser Gaïa.
Mais il y avait quelqu'un que je n'avais pas encore vu et qui me manquait beaucoup… le Dragon de l'Arc-en-ciel ! Je le cherchai partout mais ne le vis nulle part…
Pendant toute la fête, Robur dansa avec Alys, il n'avait d'yeux que pour elle…
Et elle dansait, ravie, elle riait, on aurait dit une autre… c'est à peine si je la reconnaissais.
Puis, quand le ciel se teignit de rose et que les premiers rayons du soleil illuminèrent le royaume des Elfes, Robur la conduisit à la source des Amoureux, s'agenouilla devant elle, lui prit la main et lui demanda doucement :
– Ma douce Alys, je me suis rendu compte que je t'aimais ! Mon cœur t'appartient et t'appartiendra à jamais ! Veux-tu m'épouser ?
Elle ne répondit qu'un seul mot, si petit mais si grand : Oui !

J'étais vraiment content pour eux, mais aussi très surpris... Au cours de notre mission, Robur et Alys se disputaient souvent : quand donc étaient-ils tombés amoureux l'un de l'autre ? Quand ce sentiment si particulier était-il né ?

Tom Un se mit à rire, malicieux, et discrètement me MURMURA à l'oreille :

– Savez-vous quand, où et surtout pourquoi est né cet amour, Chevalier ?

Puis il se vanta :

– Moi, je sais tout, comme d'habitude !

Il feuilleta ses pages, puis me montra l'image de la **fontaine du Véritable Amour**, dans le royaume des Licornes bleues.
Alors je me souvins que Robur et Alys étaient tombés dans cette fontaine quand ils s'entraînaient à l'escrime !
Je m'exclamai :
– Mais alors… ils ne s'aiment que parce qu'ils sont tombés dans la fontaine ?
Tom Un ricana :
– Chevalier, ils s'aiment parce que tout véritable amour est déjà *inscrit* dans les étoiles ! Parfois, il ne faut qu'un petit « encouragement », pour que l'amour éclose telle une rose au PRINTEMPS !
Cependant, tout le monde s'était mis à applaudir les deux amoureux Robur et Alys, qui s'embrassèrent, heureux. Floridiana, Gaïa et Laowyn pleuraient de JOIE… Et moi ?

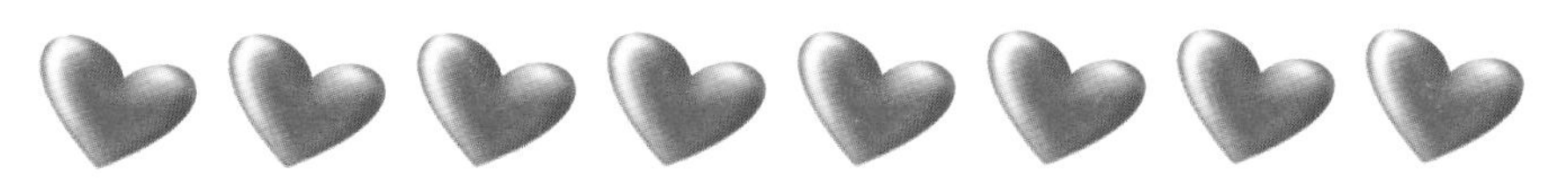

Eh bien, j'étais ému et j'allais présenter tous mes vœux aux deux fiancés, lorsque mon ami le Dragon de l'Arc-en-ciel arriva en planant et en criant :

– Hourra, Chevalier, comme c'est *romantique* !

Puis, dans son enthousiasme, il m'attrapa, me plaça sur son dos et, pour fêter l'événement, se lança dans une série d'acrobaties ahurissantes. Je perdis aussitôt l'équilibre et tombai tombai tombai tombai tombai tombai tombai tombai tombai tombai tombai pendant un temps qui me parut infini...

Jusqu'à ce que mon crâne heurte quelque chose de dur et que je m'**ÉVANOUISSE**.

De retour
à la maison...

BIENVENUE SUR
L'ÎLE DES SOURIS !
L'île où tout rongeur rêve d'habiter !
1. Sourisia : ma maison se trouve là !
2. Lac Lac Lac
3. Lac Laclaclac
4. Parc national pour la défense de la nature
5. Roc Beaufort
6. Pic du Putois
7. Pic Vampire
8. Pic du Chteracontpacequilfaifroid
9. Port-Souris
10. Col du Chat Las
11. Roquefort
12. Port-Beurk
10
9
5
2
1

7
6
8
4
12
3
11

# DEBOUT, GERONIMO !

Soudain, j'entendis un **CRI** très fort :

– Poussez-vous, poussez-vous, poussez-vouuus, je m'occupe de mon cousin, je vais lui faire reprendre connaissaaaaance !!!

Et je reçus un seau d'eau glacé en pleine figure ! Alors, je revins complètement à moi, j'ouvris les **YEUX** et découvris un museau joufflu, une boucle d'oreille et une inimitable chemisette à palmiers.

C'était **Traquenard** et derrière lui se tenait mon neveu Benjamin.

Traquenard hurla :

– Tu as vu ça ? J'avais pas raison ? Il fallait un traitement de choc ! Cousin, j'espère que tu es reconnaissant, au moins ? Ah, si je n'étais pas là…

– Brrr… Vraiment, je ne sais pas si je dois te remercier : l'eau était glaciale ! Je vais attraper un rhume !

Puis je demandai, perplexe :

– Mais… qu'est-ce que je fais ici ? J'ai l'impression d'avoir fait un long voyage, qui a duré des jours…
Traquenard **ricana**.
– Cousin, le problème, c'est que tu as l'évanouissement facile ! Il suffit d'un rien pour que tu plonges dans le monde des rêves. À mon avis, tu fais ça exprès pour pouvoir piquer un petit **roupillon**…
Benjamin, lui, m'embrassa, inquiet.
– Tonton, tu ne te rappelles pas ? Nous allions gravir le **mont Peureux**, tu t'es goinfré de barres énergétiques, puis tu es allé chercher de l'eau et tu es tombé !
Je me donnai une tape sur le front.
– Mais oui, je me souviens ! La lettre mystérieuse, le mystérieux rendez-vous à midi… Au fait, quelle heure est-il ? Il faut que j'y aille, quelqu'un attend mon **ARRIVÉE** !

Je fis un effort incroyable pour me lever, aidé par Benjamin. J'avais mal à tous, mais vraiment à tous mes osselets, de la pointe des oreilles à la pointe de la queue.

Je devrais peut-être commencer par dire ce qui ne me faisait PAS mal : la pointe de mon troisième poil de moustache gauche allait assez bien, merci !

Tout le reste était un vrai **DÉSASTRE** !

Benjamin me prit par la patte.

– Courage, oncle Ger ! Nous allons t'accompagner au sommet du mont Peureux, nous n'en sommes plus qu'à quelques mètres…

Ainsi, à grand-peine, je me mis en marche vers la cime. Quand le sentier en fut à son dernier tournant et déboucha sur le sommet vert et plat de la montagne, je restai sans voix…

Car tous mes amis étaient là et s'écrièrent en chœur :

– **SURPRISE !!!** SURPRISE !!!

SURPRISE !!!

JOYEUX ANNIVERS

RE GERONIMO !

Ils m'avaient organisé une fête surprise ! Et ils avaient parfaitement réussi : plus surpris que moi, c'était impossible !
Au sommet de la **montagne** m'attendaient tous mes amis, tous mes parents et tous les collaborateurs de *l'Écho du rongeur*.
Ils avaient organisé un magnifique pique-nique, avec tartes, gâteaux, SANDWICHS et plein de bonnes choses !
Il y avait aussi une tarte à la crème, aux fraises et au roquefort... Miammm !
Pendant que j'écrasais une petite larme d'émotion, ils entonnèrent en chœur :

– JOYEUX ANNIVERSAIRE,
JOYEUX ANNIVERSAIRE !
JOYEUX ANNIVERSAIRE, GERONIMO !
JOYEUX ANNIVERSAIRE !!

– Merci, merci à tous, j'avais complètement oublié que c'était mon ANNIVERSAIRE !

Téa et Patty me tendirent un coussin de velours rouge sur lequel était posée une clef dorée.
– Voici la clef de nos CŒURS : ils seront toujours grands ouverts pour toi !
Je les remerciai tous, comblé, car l'affection de nos amis est le plus beau des cadeaux !
Mais, à dire vrai, il me semblait avoir déjà vu cette clef quelque part...
Peut-être en songe, peut-être au royaume de la Fantaisie !

# ALPHABET FANTAISIQUE

Tom Un

# TABLE DES MATIÈRES DE TOM UN

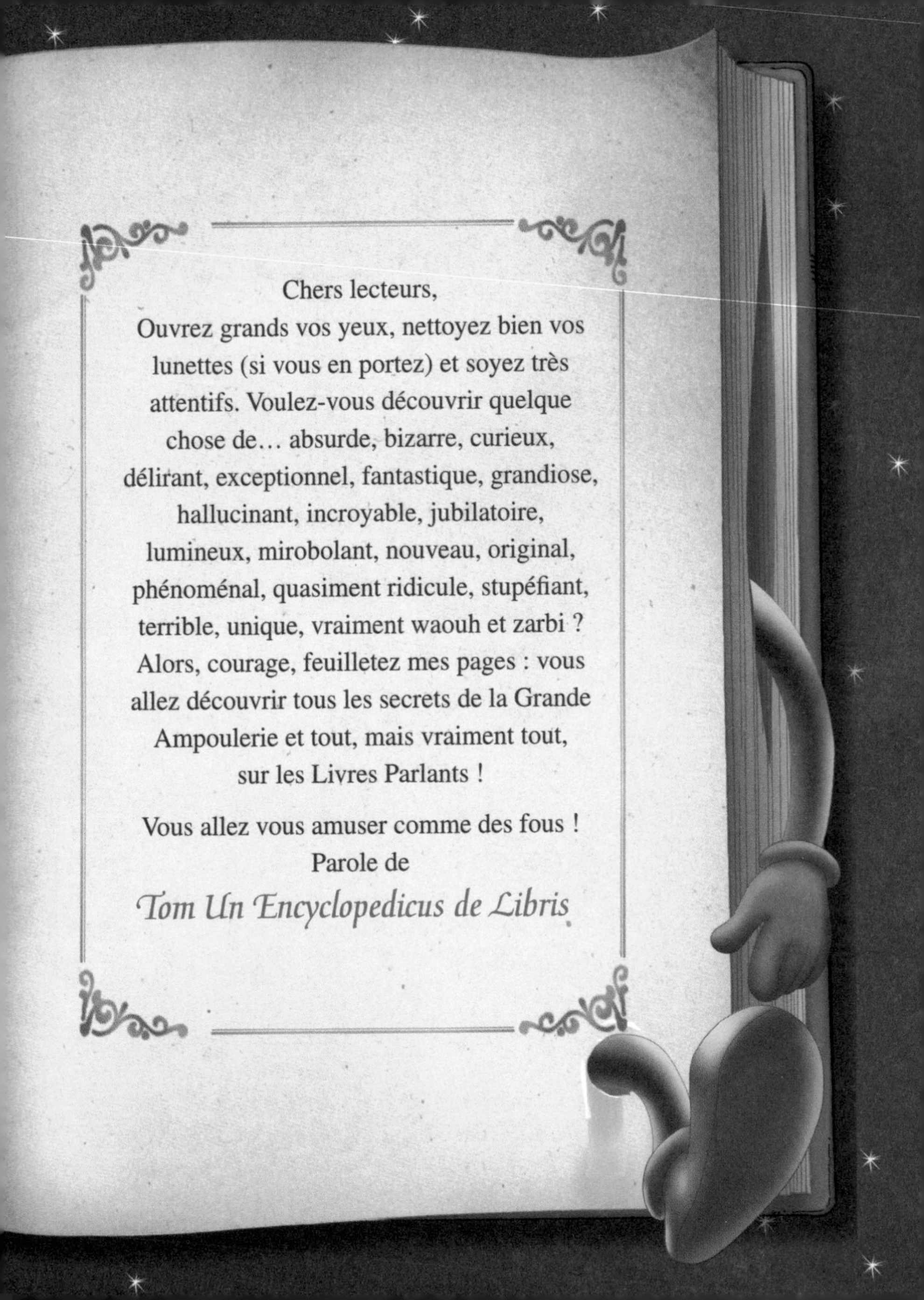
Chers lecteurs,
Ouvrez grands vos yeux, nettoyez bien vos lunettes (si vous en portez) et soyez très attentifs. Voulez-vous découvrir quelque chose de… absurde, bizarre, curieux, délirant, exceptionnel, fantastique, grandiose, hallucinant, incroyable, jubilatoire, lumineux, mirobolant, nouveau, original, phénoménal, quasiment ridicule, stupéfiant, terrible, unique, vraiment waouh et zarbi ? Alors, courage, feuilletez mes pages : vous allez découvrir tous les secrets de la Grande Ampoulerie et tout, mais vraiment tout, sur les Livres Parlants !
Vous allez vous amuser comme des fous !
Parole de
Tom Un Encyclopedicus de Libris

# LA GRANDE AMPOULERIE

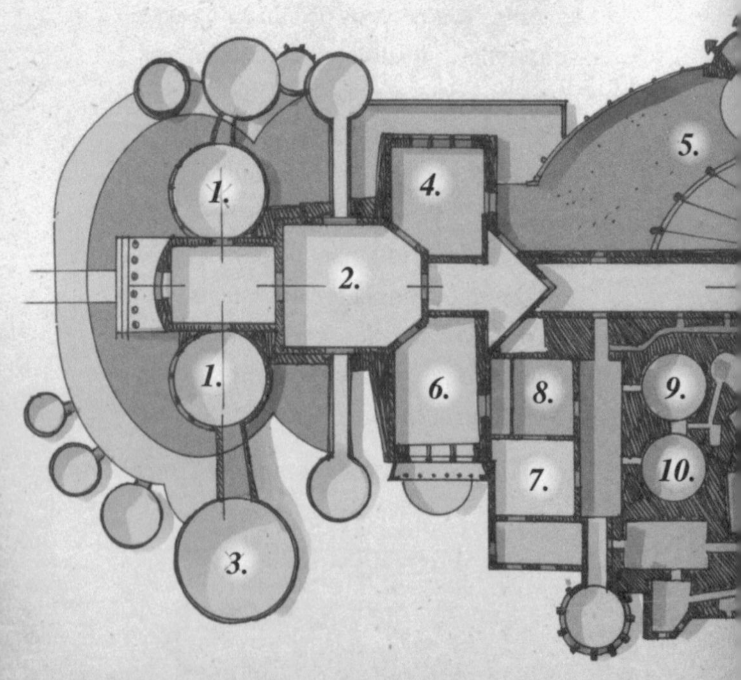


1. Salle des gardiens
2. Fichier des bulletins scolaires du monde
3. Salle de récréation
4. Salon des guichets
5. Salle des Pourquoi
6. Bureau de Stylou de Trombone
7. Redressoir
8. Laboratoire secret

J'ai recopié pour vous la carte secrète de la Grande Ampoulerie : elle était cachée dans l'armoire du Recteur… S'il vous plaît, ne dites à personne que c'est moi qui l'ai prise ! Si cela venait à se savoir, on ferait des confettis avec mes pages et un abat-jour avec ma couverture !

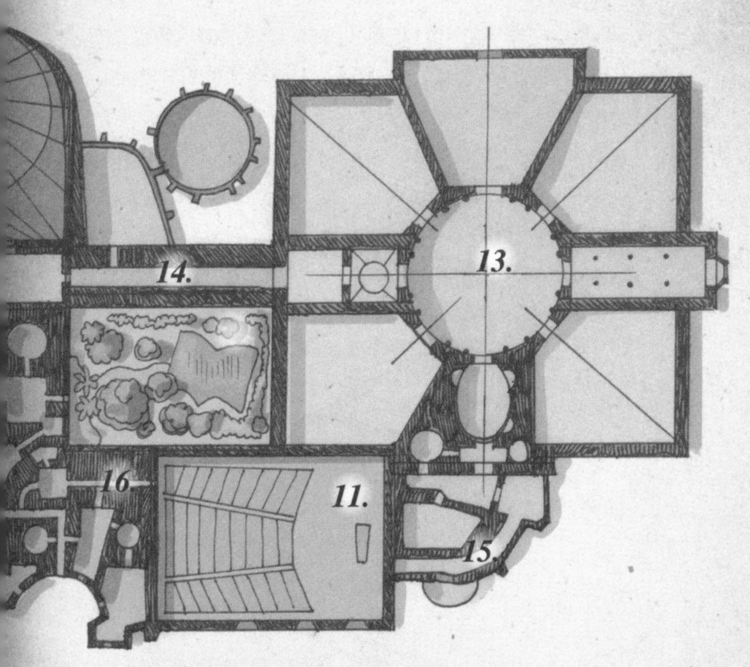


*9. Archives des inventions ratées*
*10. Archives des inventions utiles*
*11. Salle du Grand Conseil*
*12. Jardin secret*
*13. Bibliothèque Parlante*
*14. Passage secret*
*15. Passage très secret*
*16. Passage très très secret*

# LES GARDIENS AMPOULEUX

Lorsque vous visiterez la Grande Ampoulerie, n'oubliez pas que, partout, veillent des gardiens très stricts. Ils contrôlent tous les visiteurs, un par un ! Ils vous confisqueront bonbons, chewing-gums, élastiques, lance-pierres, sarbacanes, figurines, billes, poupées et monstres variés…
Sans parler des téléphones portables et autres jeux électroniques, qui sont strictement ***interdits*** !

*LUNETTES POUR REPÉRER LES INTRUS*

*REGISTRE AMPOULEUX*

*CRAYON POUR MARQUER LES ERREURS*

Couvre-chef du gardien vigilant

Grande plume pique-visiteurs

Toge du gardien vigilant

Sandales du gardien vigilant

# LE FICHIER AMPOULEUX

Avant de pénétrer dans la Bibliothèque Parlante et dans la salle du Grand Conseil, vous serez conduit dans la salle des fichiers. C'est là que sont conservés les bulletins scolaires du monde entier… Les gardiens ampouleux vérifieront attentivement votre dossier : vous ne serez admis que si vous êtes considéré comme digne. En cas contraire, on vous conduira au *Redressoir* !

9

# LES BULLETINS SCOLAIRES CÉLÈBRES

*J'ai photocopié pour vous les bulletins scolaires de quelques-uns des plus fameux personnages du royaume de la Fantaisie et j'ai même déniché une photo de classe.*

## BULLETIN SCOLAIRE DU CHEVALIER

Langue ratesque ..........10
Histoire..........................9
Géographie.....................9
Écriture.........................10
Bonnes manières ..........10
Gymnastique .......NUL !!!
Chevalerie .....................8
Galanterie......................8
Courage..........................6
Conduite.......................10

## BULLETIN SCOLAIRE DE ROBUR

Agilité ..........................10
Courage........................10
Tir à l'arc.....................10
Escrime ........................10
Mathématiques...............4
Langue fantaisique .........4
Histoire elfique...............4
Géographie......................5
Gymnastique ................10
Escalade libre...............10
Galanterie.......................6
Conduite.........................8

## Bulletin scolaire d'Alys

Vol acrobatique ............ 10
Dragologie.................... 10
Sciences alimentaires dragonnesques................ 9
Administration des royaumes dragonniques... 9
Musique.......................... 8
Théorie musicale et solfège ........................... 8
Flûte traversière.............. 9
Tir à l'arc........................ 9
Diplomatie.................... 10
Broderie............ NULLE !
Danse.............................. 8
Chant ............................. 9
Langue fantaisique ....... 10
Mathématiques ............... 7
Conduite ....................... 10

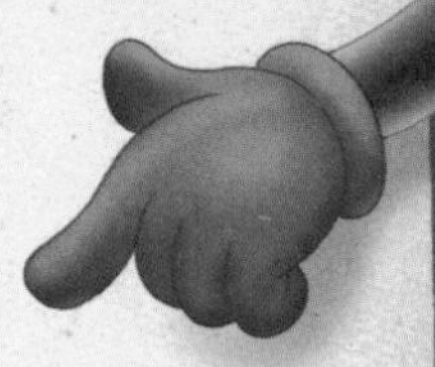

## Bulletin scolaire de Floridiana del Flor

Grâce ........................... 10
Gentillesse.................... 10
Élégance ....................... 10
Bonté ........................... 10
Beauté .......................... 10
Sagesse ........................ 10
Générosité .................... 10
Langue fantaisique ....... 10
Histoire......................... 10
Mathématiques ............. 10
Magie féerique ............. 10
Conduite........................ 10

# LES CAMARADES DE CLASSE

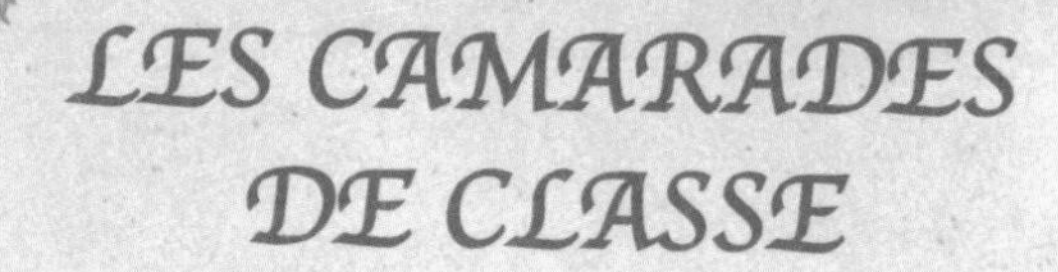

CLASSE

DRAGON DE L'ARC-EN-CIEL

BRANDON DE CHAUDEBRAISE

ALYS

FRITILLAIRE ET BOLETUS

LAOWYN

Voici une très vieille photo de classe avec tous les amis du royaume de la Fantaisie : Alys, Robur, Laowyn, Floridiana, le Dragon de l'Arc-en-ciel, Fritillaire, Boletus, Scribouillardus et Cœurfort… quand ils étaient à l'école primaire.

# LE REDRESSOIR

Si, après avoir contrôlé votre bulletin scolaire, les gardiens ampouleux considèrent que vous n'êtes pas digne de vous présenter devant le Grand Conseil Ampouleux, vous vous retrouverez au Redressoir, où le Recteur vous passera un savon !

**1. BALAI NETTOIE-TOUT**

*Vous ne vous êtes pas appliqué ? Alors vous aurez une punition : vous devrez balayer toute la Bibliothèque Parlante !*

**2. BUREAU DES RÉPRIMANDES**

*Vous avez été un vrai polisson ? Cela ne peut pas vous faire de mal d'être un peu grondé !*

**3. TABLE DE LA PATIENCE**

*Pour mettre votre patience à l'épreuve, vous devrez vous mesurer à ce puzzle qui se fait et se défait continuellement !*

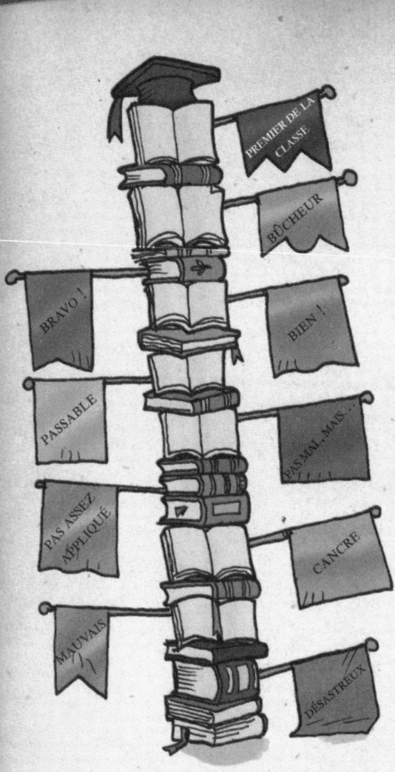

**4. SYSTÈME ANTI-TRICHE**

*Assez de tricherie, si on va à l'école, c'est pour étudier, étudier, étudier ! Avec ce casque, vous ne pourrez plus entendre les questions des tricheurs !*

**5. DÉTECTEUR D'ANTISÈCHES**

*Un système très efficace pour détecter toutes les antisèches cachées par les élèves indisciplinés.*

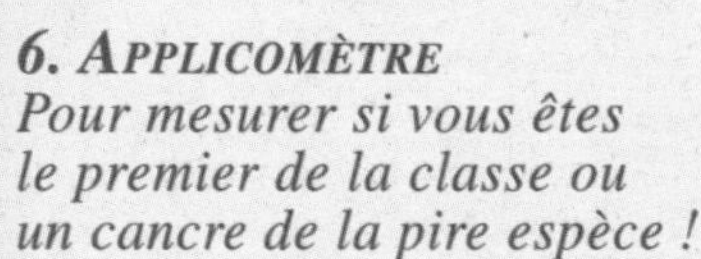

**6. APPLICOMÈTRE**

*Pour mesurer si vous êtes le premier de la classe ou un cancre de la pire espèce !*

**7. CHAISE REDRESSANTE**

*Pour tous ceux qui s'endorment pendant les cours, la chaise redressante, prête à vous réveiller au bon moment en vous pinçant !*

# LE BUREAU DE STYLOU DE TROMBONE

# L'ARMOIRE DE STYLOU DE TROMBONE

Voici l'armoire secrète du Recteur Magnifique de la Grande Ampoulerie Stylou de Trombone. C'est là qu'il conserve tous les jeux et tous les objets qu'il a confisqués à ses élèves depuis des années… Mais ce que personne ne sait, c'est que, de temps en temps, il joue avec en cachette !

19

# LA SALLE DES POURQUOI

***C'est ici qu'on pose des questions…***

Vous avez évité le Redressoir ? Bravo ! Alors vous êtes arrivé sain et sauf dans la salle des Pourquoi, où, depuis des années, des centaines de personnes font la queue devant des guichets pour déposer leurs questions ! Mais personne n'a jamais vu ce qu'il y a derrière les guichets !

***…et c'est là qu'on cherche des réponses.***

# POURQUOI, POURQUOI, POURQUOI...

Répondre aux questions est une des activités principales de la Grande Ampoulerie et en particulier de la salle des Pourquoi.
Voici quelques exemples de questions que les spécialistes reçoivent, et les réponses correspondantes.

***Pourquoi l'eau de la mer est-elle salée ?***
L'eau de la mer contient des sels qui, au cours du temps, se sont dégagés des roches de la croûte terrestre, mais c'est surtout le sable que les fleuves déposent dans la mer qui répand ses propres sels dans l'eau.

***Pourquoi les singes s'épouillent-ils ?***
Les singes aiment s'asseoir l'un à côté de l'autre et s'examiner à tour de rôle. On dit qu'ils « s'épouillent », alors que, en réalité, ils se nettoient le poil en retirant poussières et autres saletés. Par ce geste, les singes se témoignent leur affection.

### *Pourquoi le ciel est-il bleu ?*

La lumière blanche du soleil est composée de toutes les couleurs de l'arc-en-ciel, qui ont différentes longueurs d'onde. Les particules gazeuses de l'air dévient les ondes bleues en les obligeant à changer continuellement de direction, et c'est pourquoi elles apparaissent diffuses dans tout le ciel.

### *Pourquoi la girafe a-t-elle un long cou ?*

La girafe est un mammifère qui peut mesurer jusqu'à six mètres de la pointe des cornes jusqu'aux sabots des pattes antérieures. Grâce à sa hauteur, elle trouve toujours quelque chose à manger en arrachant le feuillage des branches les plus hautes.

### *Pourquoi l'herbe et les feuilles sont-elles vertes ?*

Les plantes sont vertes parce qu'elles contiennent de la chlorophylle, un pigment qui leur donne leur couleur et leur permet de produire leur propre nourriture. Quand les rayons de lumière rencontrent la chlorophylle, des substances nutritives se forment dans les parties vertes de la plante.

### *Pourquoi Geronimo Stilton s'évanouit-il toujours ?*

Geronimo est un gars, *ou plutôt un rat*, très sensible. Quand il éprouve des émotions trop fortes, dues par exemple à une grande frayeur ou même au bisou d'une rongeuse sur la pointe de ses moustaches… il s'évanouit ! Quelle petite nature !

# PAR ICI... NON, PAR LÀ !

Trouvez la route pour la salle du Grand Conseil.

ARRIVÉE

# LA SALLE DU GRAND CONSEIL AMPOULEUX

Bravo, vous avez réussi !
Vous êtes arrivé dans la salle du Grand Conseil Ampouleux ! Oh, mais regardez un peu ce que font les conseillers, savants et experts, quand personne ne les voit !

# LA BIBLIOTHÈQUE PARLANTE

À première vue, on dirait une bibliothèque normale… Un sol de marbre bien astiqué, de l'ordre, une propreté scrupuleuse et surtout… du silence ! Mais, ici, le silence ne dure jamais très longtemps ! C'est là que nous vivons, nous, les Livres Parlants, et le silence n'est pas notre fort !

# COMMENT FONCTIONNE LA BIBLIOTHÈQUE PARLANTE

Pour consulter les livres, il suffit de prononcer à haute voix le sujet qui vous intéresse et le « moteur de recherche » se met en marche. Voici comment…

1) Le mot est répété et le Gardien Oreilles Grandes (G.O.G.), qui, d'habitude, dort, se réveille.

2) Le G.O.G. se lève d'un coup et se cogne la tête au rail de bois qui passe au-dessus de lui.

3) La bille roule, tombe sur la petite cuiller qui projette le carré de sucre dans la tasse de coulis énergisant.

4) Le G.O.G. boit son breuvage énergétique et a enfin assez de force pour ouvrir les yeux et tirer la manette devant lui.

5) Un clavier descend alors, sur lequel il tape la question. Les Haut-Parleurs crient : « Lecteur dans la saaalle ! » Puis ils répètent à voix haute le sujet qui intéresse le lecteur.

6) C'est alors que se mettent en marche les tapis roulants sur lesquels se précipitent tous les Livres Parlants qui tombent directement sur la tête de l'intéressé !

# VOICI... LE MOTEUR DE RECHERCHE !

Voici les engrenages du moteur de recherche de la Bibliothèque Parlante, qui permet de rassembler en un instant tous les livres qui intéressent un lecteur !

# LE MONDE DES LIVRES PARLANTS

Dans la grande Bibliothèque Parlante vivent de nombreux types de Livres Parlants. Chaque groupe a des habitudes très particulières et des goûts différents : c'est ce qui les rend si spéciaux !

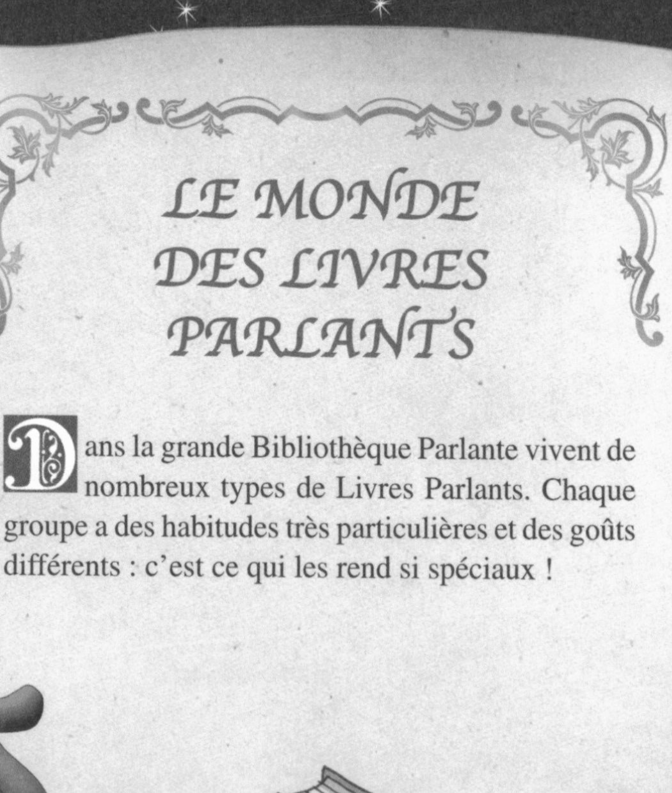

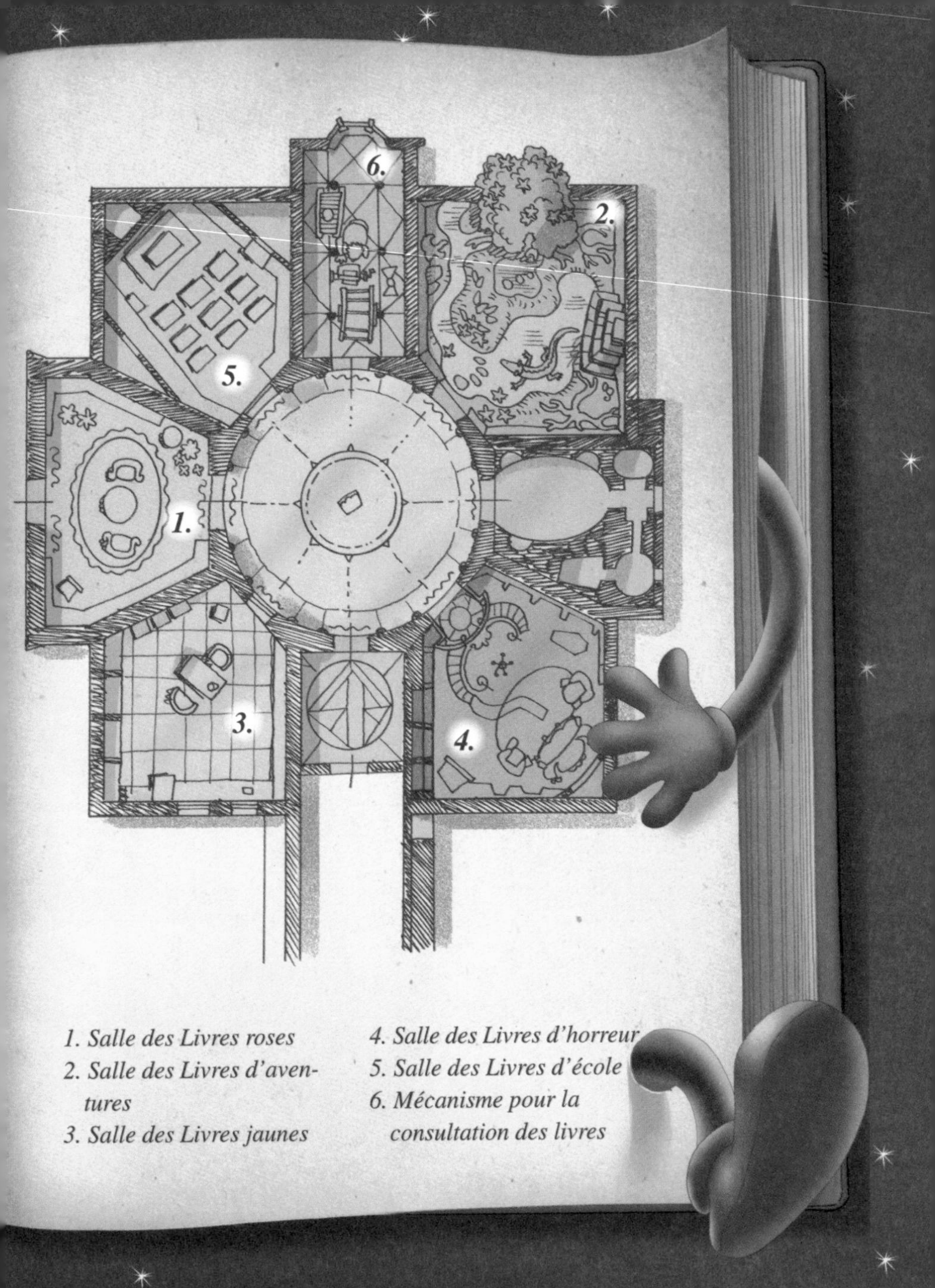
6.
2.
5.
1.
3.
4.
1. Salle des Livres roses
2. Salle des Livres d'aventures
3. Salle des Livres jaunes
4. Salle des Livres d'horreur
5. Salle des Livres d'école
6. Mécanisme pour la consultation des livres

# OÙ VIVENT LES LIVRES ROSES

Les Livres roses parlent toujours d'histoires romantiques et d'amours impossibles... D'habitude, un rien les émeut et ils pleurent facilement : c'est un gros problème à cause de l'humidité qui se dégage, dont on sait qu'elle est très nocive pour les livres ! Dès que l'un d'eux pleure, l'opération « Mouchoir » est déclenchée : aussitôt, il pleut des mouchoirs !

# OÙ VIVENT LES LIVRES JAUNES

Les Livres jaunes, eux, ont une véritable manie : la chasse aux coupables ! Ils déambulent dans la Bibliothèque, armés d'une loupe, à la recherche de traces et d'indices. Leurs casiers sont toujours en grand désordre et, sur les murs, à la place des tableaux, ils ont accroché les photos des personnes recherchées !

# OÙ VIVENT LES LIVRES D'HORREUR

Si vous êtes impressionnable, il vaut mieux ne pas visiter cette partie de la Bibliothèque où vivent les Livres d'horreur ! Il y a des toiles d'araignée partout, des pierres tombales, des chauves-souris lugubres et des monstres horribles qui apparaissent sans crier gare ! Un endroit cauchemardesque !

# OÙ VIVENT LES LIVRES D'ÉCOLE

Et voici l'endroit où je vivais : sur les rayonnages des Livres d'école, d'encyclopédies et d'essais, c'est-à-dire parmi les livres spécialisés sur des sujets sérieux… Pff ! Quel ennui… Ils prennent de grands airs, ils croient être les premiers de la classe ! C'est pourquoi je me suis enfui, pour aller vivre une véritable aventure. Désormais, je me suis installé dans la salle des Livres d'aventures !

# OÙ VIVENT LES LIVRES D'AVENTURES

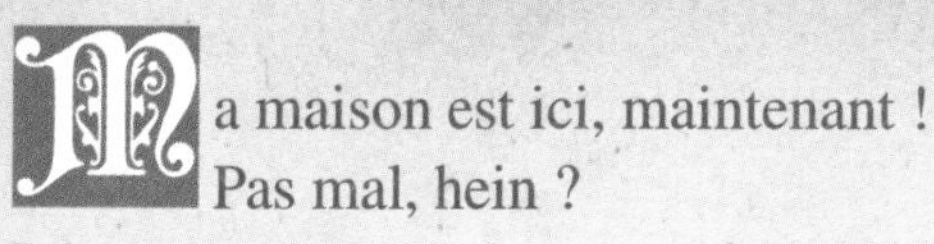

Ma maison est ici, maintenant !
Pas mal, hein ?
Ici, on ne s'ennuie jamais : chaque jour, on vit une aventure différente dans des mondes réels ou dans des univers fantastiques ! Excusez-moi, je dois vous saluer, je suis presséééé !

# UNE VIE DE LIVRE PARLANT

La vie des Livres Parlants est très dure ! Après des jours d'attente sans un seul visiteur dans la Bibliothèque, lorsque les Haut-Parleurs diffusent une demande, ils se bagarrent pour être consultés les premiers. C'est la dure loi de la Bibliothèque Parlante !

**LA JOURNÉE TYPE D'UN LIVRE PARLANT**

Réveil : tout le monde descend de l'étagère !
Époussetage des pages.
Étirage des pages cornées ou, pour ceux qui sont à la mode, séances de mise à jour chez l'imprimeur.
Chasse aux coquilles*.
Déjeuner.
Traitement anti-moisissures.
Cours de mise à jour.
Révision des index.
Goûter.
Table ronde suivie d'un débat.
Au dodo : tout le monde en rang sur les étagères !

**Les coquilles sont les erreurs d'impression.*

# Les dix règles d'or du Livre Parlant !

*1) L'auteur est un et tous les autres ne sont rien !*
*2) Vive l'éditeur : c'est lui qui a payé les frais d'impression !*
*3) Parle toujours en bien du rédacteur qui s'est occupé de ton livre.*
*4) Sois reconnaissant au dessinateur qui t'a rendu plus beau !*
*5) Un bon Livre Parlant se tient toujours à jour.*
*6) Un bon Livre Parlant ne copie jamais le contenu des autres livres !*
*7) Un bon Livre Parlant prend garde à ne pas corner ses pages et ne permet pas aux lecteurs de le souligner ou de le gribouiller.*
*8) N'oublie pas de t'épousseter tous les matins !*
*9) Évite toujours l'humidité !*
*10) Asperge-toi de produit anti-vers !*

# COMMENT NAISSENT LES LIVRES PARLANTS ?

Les Livres Parlants naissent dans un jardin secret, au cœur de la Grande Ampoulerie ! Si maman et papa Livre Parlant désirent avoir un enfant, ils sèment des petites lettres dans ce jardin et les arrosent avec l'eau de la fontaine de la Fantaisie. Au bout d'un certain temps apparaît un petit germe qui s'épanouit bientôt et produit de beaux fruits colorés : de mignons petits Livres Parlants !

# DE LIVRET À GROS LIVRE... PETIT LIVRE DEVIENDRA GRAND !

À peine nés, les petits Livres Parlants ne savent pas parler, ils crient ! Ils ont des pages moelleuses, des coins arrondis et des couvertures rembourrées. Sur leurs pages, on ne voit aucun mot, seulement des dessins très simples et colorés.

Puis, un jour, ils prononcent leur premier mot… et on ne peut plus les faire taire !

La plupart des Livres Parlants adorent l'école ! Les matières qu'ils préfèrent sont :

- l'art de la conversation,
- parler en public,
- les exercices de prononciation.

***Seuls les meilleurs élèves deviennent des Encyclopédies !***

Quand un Livre Parlant est assez grand pour passer son diplôme, il devient un Livre rose, jaune, d'horreur, un volume d'encyclopédie ou un Livre d'aventures !

# CE QUE MANGENT LES LIVRES PARLANTS

Que mangent les petits livres ?
Les premiers mois, on ne leur donne qu'un biberon rempli de fantaisie en poudre…

À partir de six mois, ils se nourrissent de bouillie d'idées et d'informations.

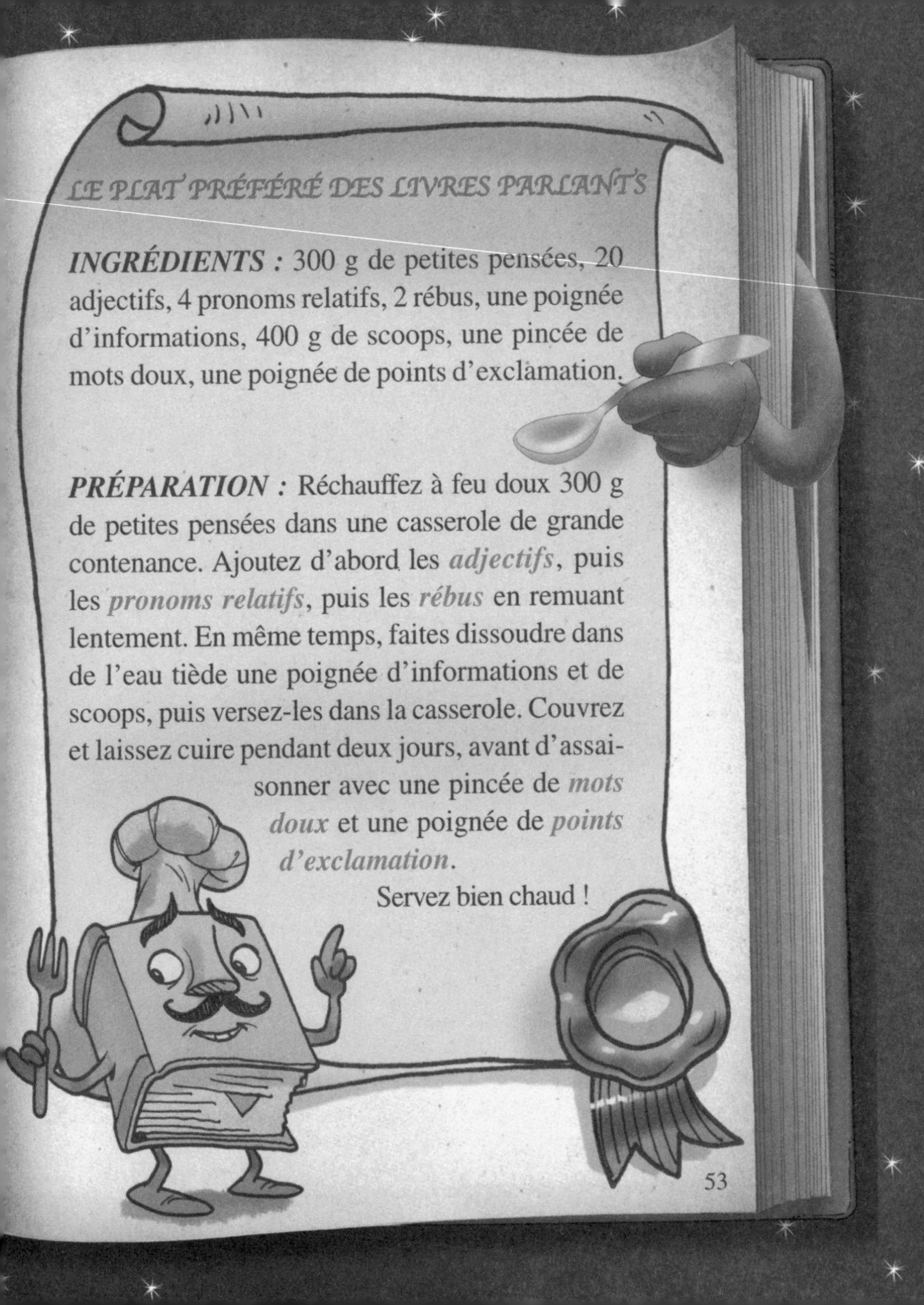
LE PLAT PRÉFÉRÉ DES LIVRES PARLANTS
INGRÉDIENTS : 300 g de petites pensées, 20 adjectifs, 4 pronoms relatifs, 2 rébus, une poignée d'informations, 400 g de scoops, une pincée de mots doux, une poignée de points d'exclamation.
PRÉPARATION : Réchauffez à feu doux 300 g de petites pensées dans une casserole de grande contenance. Ajoutez d'abord les adjectifs, puis les pronoms relatifs, puis les rébus en remuant lentement. En même temps, faites dissoudre dans de l'eau tiède une poignée d'informations et de scoops, puis versez-les dans la casserole. Couvrez et laissez cuire pendant deux jours, avant d'assaisonner avec une pincée de mots doux et une poignée de points d'exclamation.
Servez bien chaud !

Au revoi

À la proch ine

aventu !

# TABLE DES MATIÈRES

# TABLE DES MATIÈRES

*Texte de* Geronimo Stilton.
*Basé sur une idée originale d'*Elisabetta Dami.
*Coordination des textes de* Isabella Salmoirago.
*Coordination éditoriale du projet Stilton de* Patrizia Puricelli.
*Édition* de Isabella Salmoirago *et de* Alessandra Rossi.
*Graphisme* de Marta Lorini.
*Direction artistique de* Roberta Bianchi.
*Assistance artistique de* Lara Martinelli.
*Illustrations de* Danilo Barozzi *(dessins),* Silvia Bigolin *(dessins),* Gabo Leon Bernstein *(dessins et couleurs),* Christian Aliprandi *(couleurs)* et Archives Piemme.
*Couverture de* Danilo Barozzi *(dessins et couleurs).*
*Conseil de* Diego Manetti.
*Traduction de* Titi Plumederat.



**www.geronimostilton.com**

Pour l'édition originale :
© 2009, Edizioni Piemme S.p.A. – Via Tiziano, 32 – 20145 Milan, Italie
sous le titre *Quinto Viaggio nel Regno della Fantasia*
International rights © Atlantyca S.p.A. – Via Leopardi, 8 – 20123 Milan, Italie
www.atlantyca.com – contact : foreignrights@atlantyca.it
Pour l'édition française :
© 2011, Albin Michel Jeunesse – 22, rue Huyghens, 75014 Paris – www.albin-michel.fr
Loi 49-956 du 16 juillet 1949 sur les publications destinées à la jeunesse
Dépôt légal : second semestre 2011
N° d'édition : 19341/2
ISBN : 978 2 226 23095 9
Imprimé en février 2012 en Italie par Europrinting S.p.A. - Casarile MI

Geronimo Stilton

## DANS LA MÊME COLLECTION

1. Le Sourire de Mona Sourisa
2. Le Galion des chats pirates
3. Un sorbet aux mouches pour monsieur le Comte
4. Le Mystérieux Manuscrit de Nostraratus
5. Un grand cappuccino pour Geronimo
6. Le Fantôme du métro
7. Mon nom est Stilton, Geronimo Stilton
8. Le Mystère de l'œil d'émeraude
9. Quatre Souris dans la Jungle-Noire
10. Bienvenue à Castel Radin
11. Bas les pattes, tête de reblochon !
12. L'amour, c'est comme le fromage...
13. Gare au yeti !
14. Le Mystère de la pyramide de fromage
15. Par mille mimolettes, j'ai gagné au Ratoloto !
16. Joyeux Noël, Stilton !
17. Le Secret de la famille Ténébrax
18. Un week-end d'enfer pour Geronimo
19. Le Mystère du trésor disparu
20. Drôles de vacances pour Geronimo !
21. Un camping-car jaune fromage
22. Le Château de Moustimiaou
23. Le Bal des Ténébrax
24. Le Marathon du siècle
25. Le Temple du Rubis de feu
26. Le Championnat du monde de blagues
27. Des vacances de rêve à la pension Bellerate
28. Champion de foot !
29. Le Mystérieux Voleur de fromage
30. Comment devenir une super souris en quatre jours et demi
31. Un vrai gentilrat ne pue pas !
32. Quatre Souris au Far West
33. Ouille, ouille, ouille... quelle trouille !
34. Le karaté, c'est pas pour les ratés !
35. L'Île au trésor fantôme

36. Attention les moustaches... Sourigon arrive!
37. Au secours, Patty Spring débarque!
38. La Vallée des squelettes géants
39. Opération sauvetage
40. Retour à Castel Radin
41. Enquête dans les égouts puants
42. Mot de passe : Tiramisu
43. Dur dur d'être une super souris!
44. Le Secret de la momie
45. Qui a volé le diamant géant?
46. À l'école du fromage
47. Un Noël assourissant!
48. Le Kilimandjaro, c'est pas pour les zéros!
49. Panique au Grand Hôtel
50. Bizarres, bizarres, ces fromages!
51. Neige en juillet, moustaches gelées!
52. Camping aux chutes du Niagara
53. Agent secret Zéro Zéro K
54. Le Secret du lac disparu
55. Kidnapping chez les Ténébrax!
56. Gare au calamar!
57. Le vélo, c'est pas pour les ramollos!
58. Expédition dans les collines Noires
59. Bienvenue chez les Ténébrax!
60. La Nouvelle Star de Sourisia

- Hors-série
  Le Voyage dans le temps (tome I)
  Le Voyage dans le temps (tome II)
  Le Royaume de la Fantaisie
  Le Royaume du Bonheur
  Le Royaume de la Magie
  Le Royaume des Dragons
  Le Royaume des Elfes
  Le Secret du courage
  Énigme aux jeux Olympiques

- Téa Sisters
  Le Code du dragon
  Le Mystère de la montagne rouge
  La Cité secrète
  Mystère à Paris
  Le Vaisseau fantôme
  New York New York!
  Le Trésor sous la glace
  Destination étoiles

La Disparue du clan MacMouse
Le Secret des marionnettes japonaises
La Piste du scarabée bleu
L'Émeraude du prince indien

- **Le Collège de Raxford**
  Téa Sisters contre Vanilla Girls
  Le Journal intime de Colette
  Vent de panique à Raxford
  Les Reines de la danse
  Un projet top secret !
  Cinq amies pour un spectacle
  Rock à Raxford !
  L'Invitée mystérieuse

- **Les classiques racontés par Geronimo Stilton**
  Robin des Bois
  L'Île au trésor
  Le Livre de la jungle
  Peter Pan
  Alice au pays des merveilles

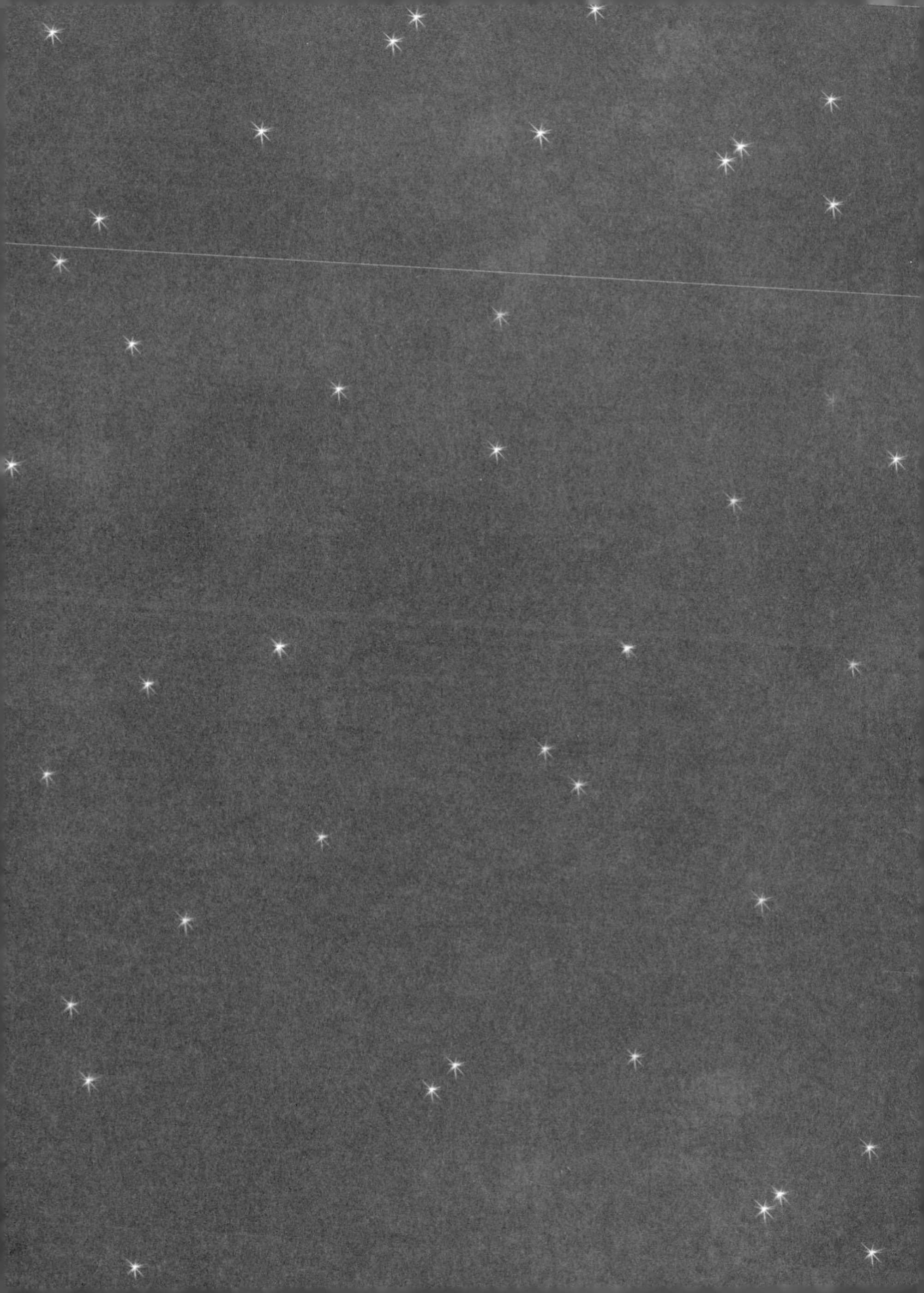